Je voudrais vous parler d'amour... et de sexe

Du même auteur

Pour une sexualité épanouie : un modèle d'intervention globale en sexologie : le MIGS, Édition Fides, 2009.

Traverser l'épreuve : Comment activer notre potentiel de vie, Édition Fides, 2010.

Sœur Marie-Paul Ross

Je voudrais vous parler d'amour… et de sexe

Avec la collaboration de
Claire Baldewyns et Sébastien Le Délézir

7-13, boulevard Paul-Émile-Victor – Île de la Jatte
92521 Neuilly-sur-Seine Cedex
www.michel-lafon.com

Première partie

UN SEUL CHEMIN, PLUSIEURS VOIES

CHAPITRE 1

Cette mort n'avait aucun sens

« Pardon, *madre*, pardon ! » Ces mots-là reviennent en boucle dans sa bouche. Une femme hystérique hurle, le visage déformé par la douleur. Je ne comprends rien à ses cris. Jusqu'à ce que mon regard soit attiré par une longue caisse en bois, posée à même le sol, au fond de la pièce. Je m'approche. Maria, quinze ans, repose sur des planches, éclairée par de petits photophores multicolores. Encadré par son opulente chevelure d'ébène, son visage, empreint d'une douceur infinie, est blême... Anna, sa mère, se jette à mes pieds, en larmes. Bien qu'il fasse quarante degrés, mon corps se met à trembler.

– Que s'est-il passé, ici ?

Autour de moi, le silence. Anna finit par se relever et m'entraîne à l'arrière de sa maison. Elle me raconte alors le drame qui s'est joué ici, quelques heures auparavant. Sa fille Maria était enceinte. Pour la préserver de la colère de son père, elle a demandé à un guérisseur de pratiquer sur elle un avortement. L'intervention du vieillard, qui prétendait en savoir autant qu'un médecin, a rapidement tourné au désastre. Je ne peux retenir mes questions :

– Qui est le père du bébé ? Où se cache-t-il ?

Anna baisse les yeux et ne dit plus un mot. J'apprendrai plus tard que le coupable, un adulte de vingt-quatre ans, vit en couple et qu'il est déjà le père de trois enfants ! Je suis rentrée chez moi en rage ce jour-là. J'ai arraché deux pamplemousses à un arbre du jardin, tendu mon hamac entre deux troncs et j'ai pleuré. Longtemps. Ensuite, la nuit tombée, j'ai prié pour faire part à Dieu de ma grande colère. Décidément, les hommes sont tous des irresponsables ! Je m'en voulais énormément. Moi, la missionnaire de l'Immaculée-Conception, infirmière diplômée, je n'avais pas été capable d'empêcher un tel désastre. Cette mort n'avait aucun sens. Maria venait à peine de célébrer ses quinze ans ! Comme l'exige la tradition, son père avait économisé pour lui offrir une cérémonie fastueuse à laquelle toute la communauté était conviée. Sur l'invitation de ses parents, je m'étais rendue à son anniversaire. Mais j'en étais ressortie très mal à l'aise. Je ne reconnaissais plus la petite qui chantait dans la chorale du village. Elle, que j'avais toujours vue porter des robes synthétiques bon marché, s'était transformée en princesse. Hauts talons, maquillage, coiffure apprêtée... Elle attirait tous les regards des mâles de la bruyante assemblée, passablement éméchés. « Regardez comme ma fille est belle ! » fanfaronnait son père. Il était fier de l'effet qu'elle produisait sur eux. Elle se devait, ce soir-là, de lui faire honneur. De susciter le désir de tous ces hommes à ses pieds pour satisfaire l'orgueil de son géniteur. Mais, bien sûr, si par la suite l'un de ces messieurs lui demandait une faveur sexuelle, elle devait bien se garder de tomber enceinte ! Car à Baurès, au cœur de l'Amazonie bolivienne, les pères ne plaisantent pas avec la virginité de leurs filles : ils vont jusqu'à les battre, parfois à mort, pour les punir. Le fautif, lui, est logé à la même enseigne, contraint de prendre la fuite pour sauver sa peau ! La réalité a toujours interrogé ma vocation : « Marie-Paul, es-tu vraiment sûre d'avoir l'étoffe d'une missionnaire de brousse ? » L'image de Maria, de ses splendides cheveux noirs ondulés et de son merveilleux sourire d'enfant n'ont jamais cessé d'occuper mes pensées. Non, ce n'était pas seulement d'évangélisation dont tous ces gens avaient besoin. Les abus, les blessures profondes, le manque d'éducation étaient les causes de toute cette misère sociale et affective qui m'entourait, autant que la pauvreté. C'était il y a vingt ans... Je commençais déjà à comprendre que si je voulais agir pour le bien-être et la santé des personnes, je devais faire autrement. Promouvoir une sexualité responsable et saine allait devenir ma priorité.

CHAPITRE 2

Sur les routes de Bolivie et du Pérou

29 décembre 1976

J'ai vingt-neuf ans et je prends l'avion pour la première fois. Direction la Bolivie et la région des Yungas, ces vallées chaudes du versant humide de la cordillère des Andes, où je m'apprête à rejoindre ma communauté religieuse pour une affectation de cinq ans. La veille, en refermant ma valise, j'ai senti le stress monter en moi. Au lieu de me réjouir de partir enfin sur le terrain, je panique comme une petite fille qui a peur du noir, perturbée par cette nouvelle vie qui m'attend, cet ailleurs qui me coupera dans quelques heures de ma famille, de ma terre natale, le Québec... et, avouons-le, de mon petit confort. Rester ? Partir ? Je suis tiraillée entre deux mondes. Lors de notre dîner d'adieu, mes parents sont restés silencieux, le nez dans leur assiette. D'une voix éteinte, ses yeux bleus baignés de larmes, ma mère a fini par me lâcher :

– Vas-y, si c'est ton choix.

J'ai passé la nuit à regarder le ciel. À prier la Vierge Marie et sainte Anne, afin qu'elles me conduisent sur ce long chemin inconnu.

À bord, les dix-sept heures de voyage me paraissent interminables. Mon plateau-repas reste intact : je ne ressens ni la faim ni le sommeil. Lima sera la première escale de mon périple ; j'y resterai quelques jours. Sur la route qui me mène à la maison provinciale de ma congrégation, je découvre une succession interminable de bidonvilles. Le choc est rude ! Les enfants traînent en haillons, le regard triste. Certains dorment par terre, entourés de montagnes de déchets. Les premiers jours, mes consœurs me prennent en charge. Nous visitons ensemble des familles entassées dans de minuscules pièces sans fenêtre et parfois sans toit ! Un tout petit évier, un W-C commun. Comment ces habitants trouvent-ils l'énergie de survivre dans des conditions aussi inhumaines ? Cette réalité me brise le cœur. Pourra-t-il y avoir un jour un partage équitable sur cette terre ? De mes états d'âme, je ne souffle mot aux autres religieuses, très investies dans leurs responsabilités quotidiennes. Débordant de projets, elles ont du courage à revendre et me paraissent si heureuses de se donner aux plus démunis... Leur enthousiasme finit par me gagner. Il est temps pour moi de reprendre mes esprits et de me jeter dans l'action au plus vite.

Prochaine étape, m'envoler pour la Bolivie et sa capitale, La Paz, située dans l'Altiplano, à plus de quatre mille mètres d'altitude.

Durant le vol, je découvre, à travers le hublot, les Andes et la neige au sommet des montagnes. Des paysages de carte postale, époustouflants. Tellement beaux que j'en ai les larmes aux yeux. À l'aéroport, je me retrouve un peu perdue, seule au milieu d'une foule de ponchos colorés. En raison d'un malentendu, les religieuses n'ont pas été prévenues de mon arrivée. Malheureusement pour moi. Assise sur mes bagages, je commence à avoir le tournis. Je serre mon crâne prêt à éclater entre mes mains. Un petit groupe de femmes vêtues du costume traditionnel m'encerclent. L'une d'elles me tend une tasse de maté de coca.

– *Madre*, c'est le meilleur remède contre le manque d'oxygène, buvez !

La coca... Méfiante, j'avale pourtant la mixture, grâce à laquelle, au bout d'une heure, je me sens capable de prendre un taxi pour rejoindre l'appartement de ma communauté. Quatre étages à grimper... L'épreuve aggrave mon état. Les sœurs, affolées, m'apportent immédiatement une bonbonne d'oxygène et m'alitent. Dans ma chambrette sans chauffage, je grelotte, il fait très froid et terriblement humide. Je me mets à délirer. J'étouffe. J'ai peur de mourir. Les mots de mon père résonnent comme un gong dans ma tête : « Non, tu n'y arriveras pas avec toute cette misère ! Reste chez nous, tu n'es pas faite pour ça ! »

Le lendemain matin, à ma grande surprise, je suis sur pied. Mais le moral n'y est pas. Par bouffées, la nostalgie m'envahit. Je me revois rentrer le bétail dans la ferme de mes parents à Sainte-Luce, une charmante cité balnéaire au bord de l'estuaire du Saint-Laurent, où j'ai vu le jour en 1947. Issue d'une tribu de neuf frères et sœurs, je suis l'avant-dernière, la plus timide et la moins sociable ! Je me souviens qu'enfant je délaissais volontiers les jeux de mon âge pour passer des journées entières à regarder fixement le firmament et tâcher de comprendre cette réalité de l'infini qui me dépassait. Je m'imaginais Dieu, notre créateur, puissant et proche de nous. Cette soif de spiritualité guidera mon existence...

Mes premiers contacts avec les sœurs missionnaires de l'Immaculée-Conception, les « MIC », datent précisément de l'école primaire. Vêtues d'une robe blanche, d'un voile noir et d'une large ceinture bleue, elles passent régulièrement dans nos classes pour nous alerter sur les problèmes des enfants du tiers-monde. Le quotidien, dans les orphelinats dont elles ont la charge en Chine, au Pérou, en Afrique me captive. Je veux à tout prix ressembler à ces femmes engagées ! L'été de mes quinze ans, une religieuse sonne à notre porte pour vendre sa revue missionnaire. En m'apercevant, elle demande à ma mère où je suis scolarisée. Maman lève les bras au ciel :

– Nulle part. Je ne sais plus quoi faire de ma fille, ses notes sont pitoyables !

Après discussion, et contre le versement de mon allocation familiale, cette bonne sœur accepte de me tirer d'affaire en m'inscrivant au pensionnat de l'École apostolique de Rimouski, à dix kilomètres de mon domicile. Vu mon tempérament – je n'ai pas ma langue dans ma poche –, mes relations avec la directrice de l'institution se détériorent rapidement. Entrer dans le moule, un cauchemar pour moi !

C'est si vrai que je suis fichue à la porte de l'établissement trois fois. Finalement, c'est grâce à l'intervention d'un père prédicateur que j'y resterai, et que je pourrai intégrer par la suite le postulat[1]

1. Première étape de formation à la vie religieuse.

près de Montréal. Étrangement, ni le célibat ni le renoncement à fonder une famille ne me font peur. J'ai bien eu un ou deux coups de cœur pour des garçons, qui m'ont enflammée comme une torche, mais rien de plus. J'ai toujours su, au plus profond de moi, que mon destin était ailleurs... Pour autant, je ne discute jamais de ma vocation avec ma famille, car chez nous, on a l'habitude de dire en plaisantant que, pour rentrer au couvent, il faut soit être bourrée de complexes, soit avoir peur des hommes ! Il est vrai que, dans le Québec des années soixante, l'anticléricalisme a le vent en poupe. Devenir religieuse est carrément *has been*. La libération des mœurs et le féminisme sont passés par là. Sur le plan politique, le pays vit à l'heure de la modernité, des grands projets industriels et de la Révolution tranquille initiée par le Premier ministre Jean Lesage. Celle-ci remet notamment en cause l'emprise de l'institution religieuse sur le réseau des hôpitaux et des écoles publiques, ce qui aboutit à la séparation entre l'Église et l'État. Dans ce contexte, préférer le voile à la minijupe c'est, pour mes compatriotes, rater sa vie !

Lorsque je reçois ma lettre d'admission comme postulante, approuvée par la supérieure générale – maman avait signé à la va-vite l'autorisation parentale sans en lire le contenu –, j'éprouve une joie profonde. Le jour « J » approche à grands pas !

Bien sûr, comme toutes les filles de mon âge, j'adore aller danser le rock ou le twist avec ma grande sœur et mes frères, ou encore jouer des gigues sur mon accordéon. Mais ce que je préfère par-dessus tout, c'est me retrouver toute seule à méditer dans une chapelle ou dans mon lit. Prier devient quelque chose d'aussi naturel pour moi que de respirer.

La veille de mon départ pour le couvent, le 6 août 1964, j'annonce enfin aux miens la nouvelle. Comme je m'y attendais un peu, mes frères et sœurs ne comprennent pas ma démarche. « Tu ne peux pas faire ça, Ti Paul, tu es complètement folle ! On ne te voit jamais avec un *chum*[1]. Sur le plan sexuel, tu es sûre que tout va bien ? »

Ils sont tous déconcertés et atterrés, à commencer par mon frère aîné, l'anticalotin de la maison. Je suis consternée, je déclare que rien ne me fera changer d'idée. Je réclame la même liberté de choix que mon frère Adrien qui, après avoir travaillé dans la marine marchande, est entré chez les dominicains. Pourquoi lui, et pas moi ? « Mais lui, il n'avait pas dix-sept ans comme toi, il en avait vingt et un, et il savait ce qu'il faisait. Ce n'est pas pareil ! », me répète ma mère. Le lendemain matin, j'avale mon petit déjeuner dans un silence pesant. Mon père

1. Un mec.

affiche son visage sévère des mauvais jours. Pas un regard, pas un au revoir. Alors que je quitte la ferme, maman me crie :

– Avant de trop souffrir, n'hésite pas à revenir !

Elle ne croyait pas si bien dire.

Au couvent de Pont-Viau, à Laval, au nord de Montréal, le quotidien se révèle houleux. J'éprouve d'énormes difficultés à me plier à ce qui me semble non essentiel à la vie religieuse, ce qui suscite une avalanche de critiques et de commentaires acerbes de la part de la maîtresse de formation. J'encaisse. Pour me défouler, je pratique tous les jours le tennis, le hockey sur glace – en robe longue ! –, le vélo. Je continue avec mon franc-parler et le son de mon accordéon. On me l'a assez reproché, je ne corresponds pas à l'idée que l'on se fait de la bonne sœur. Je ne prie pas à genoux, les mains jointes – ça ne colle pas –, mais plutôt en marchant dans les bois et en respirant à pleins poumons.

« Marie-Paul, non, tu n'as pas la vocation. Tu marches les bras ballants comme un homme, pas comme une nonne ; tu n'agis pas, tu ne penses pas comme une sœur. Quitte les ordres. Ta personnalité n'est pas compatible avec le monde religieux. »

Onze ans plus tard, je prononcerai mes vœux perpétuels. Ma détermination a été la plus forte. Devenir missionnaire de l'Immaculée-Conception a répondu à une aspiration profonde, inscrite dans mon ADN.

Fondé en 1902, innovateur, mon institut est présent sur tous les fronts, l'éducation, la santé, l'évangélisation, le travail social, autant de domaines dans lesquels j'ai toujours souhaité m'impliquer. Autre aspect intéressant du travail : avant de s'implanter dans une région nouvelle du tiers-monde, des sœurs sont envoyées sur place – ce qui sera mon cas – pour mettre sur pied des projets pilotes, évaluer les besoins des populations, créer des relais d'intervention, etc. Nous, les MIC, étions des ONG avant l'heure !

*

* *

Pour rejoindre Irupana, dans les Yungas, à huit heures de voiture de La Paz, je découvre des dénivelés impressionnants, des vallées luxuriantes d'une beauté exceptionnelle. Carrefour où l'on croise chercheurs d'or, producteurs de coca et de café, la région est un centre agricole de la Bolivie et a su préserver son patrimoine culturel, ses coutumes et son artisanat d'avant les conquistadors. La route à flanc de montagne est si étroite que les véhicules ne peuvent s'y croiser. Pas de quoi effrayer Gabrielle, la sœur canadienne qui m'accompagne en Jeep. Au volant, elle en a vu d'autres et fonce pied au plancher.

– Regarde, Marie-Paul, ces centaines de croix que tu aperçois le long de la chaussée. Ce sont les pauvres malheureux qui sont tombés dans les précipices !

À chaque virage, tétanisée, j'ai l'impression que le pire est à venir...

Arrivée saine et sauve, je découvre d'abord le petit hôpital fondé par ma communauté, ainsi que notre résidence, une bâtisse en cours d'achèvement située à l'entrée d'Irupana. Mes journées sont bien remplies. Afin de mieux m'imprégner de la culture locale et de me présenter à la population, je rencontre les agriculteurs des alentours dans leurs petites maisons en briques de terre et aux toits de chaume. J'en profite également pour faire la connaissance de groupes de jeunes musiciens, de douze à dix-huit ans, qui jouent de la guitare, du *charango* et de la *quena*, cette flûte de bambou typique, tous les dimanches soir dans une salle attenante à l'église. Ils m'apprennent leurs danses folkloriques, je baragouine quelques mots d'espagnol et je parle avec les mains, ce qui les fait beaucoup rire. C'est là que je commence à m'attacher à ma nouvelle patrie. La diversité de mes activités m'oblige à effectuer de nombreux déplacements dans les vallées qui me conduisent dans des hameaux reculés, et en ville.

Dans le but d'apprendre la langue, je vais à Cochabamba. Considérée comme la capitale quechua du pays, la cité est située au cœur des cartels de la cocaïne. À l'*hospital materno-infantil*, où je vais travailler quelques mois, j'assimile, en espagnol, tout le vocabulaire des techniques de soins, afin de pouvoir être rapidement efficace auprès des enfants malades et des accouchées. Ici, les patients sont installés sur des lits en fer des années trente, sans draps, à même le matelas. Pas question d'être trop à cheval sur l'hygiène : on manque de tellement de choses ! J'effectue également des tournées à domicile, surtout auprès de personnes en fin de vie. Lors de mes visites, mes hôtes, avec beaucoup de gentillesse, me proposent le *plato paceño*, à base de viande et de maïs ; de délicieuses *humintas* – chaussons de manioc – arrosées d'*api*, la boisson régionale sucrée servie très chaude.

Mon amie Norma, une mère de famille d'à peine quarante ans qui en paraît quatre-vingts, habite une maison misérable avec son mari et leurs cinq enfants, âgés de treize à vingt-trois ans. Minée par un cancer généralisé, elle m'attend tous les matins, allongée sur sa paillasse de fortune, installée dans ce qui lui sert de cuisine et de salon. Au fond, une petite pièce toute sombre avec deux lits ; un petit pour ses deux fils ; un grand pour le père et ses trois filles… L'une d'elles, Lucia, s'occupe de Norma et fait la cuisine. L'image de cette proximité des corps me choque. L'aînée finira par s'enfuir avec un homme d'un village éloigné, pour échapper au pouvoir machiste de son père qui la viole. Quant à la deuxième, plus soumise, elle portera l'enfant de son frère ! Cette famille, comme beaucoup d'autres en Bolivie, vit au quotidien sous la coupe d'un père et d'un frère incestueux. Je m'apercevrai plus tard à quel point ce mal ronge de nombreux pays, et pas seulement l'Amérique latine ! En parler avec mes consœurs ? Peine perdue. Les abus sexuels et les grossesses juvéniles sont encore un sujet tabou, dans la société civile comme dans l'Église, complice de l'omerta ambiante. C'est si vrai qu'à l'hôpital, lorsque j'ausculte des très jeunes filles en début de grossesse – innocentes et naïves, elles ne comprennent pas ce qui leur arrive –, les mères me disent : « Ce n'est rien, ma fille est juste un peu faible. Le médecin va enlever cette bosse qu'elle a dans le ventre ! » Les avortements sont quotidiens… Cette confrontation permanente avec les problèmes d'abus et avec les victimes nourrira par la suite ma réflexion sur les dysfonctionnements de la sexualité humaine, et sur les actions à mener en matière de santé publique.

Dans le petit dispensaire rural que j'ai réussi à mettre en place à la demande des *campesinos*[1] et de leurs familles, je reçois de nombreux malades atteints de tuberculose et de typhoïde. Mettant sur le compte du climat montagneux mon état d'épuisement, je ne réalise pas tout de suite que ma santé est en péril. Diagnostiqué trop tard, le typhus a déjà infecté une partie de mon estomac et de mon duodénum, provoquant d'importantes hémorragies. Opérée sur place dans une clinique insalubre, je vois ma dernière heure arriver. L'intervention, qui a duré cinq heures, a bien failli me tuer. Mes consœurs se relaieront à mon chevet jour et nuit. Mais sainte Anne veille sur moi…

Une semaine après l'opération, trois sœurs de ma congrégation prennent la décision de m'emmener dans les montagnes pour me reposer. Au contact de la neige qui me rappelle le Canada, j'arrive à reprendre des forces. Mais cette amélioration sera de courte durée : les lourdes séquelles postopératoires – thrombophlébites et surinfections pulmonaires –, m'obligent à rentrer de toute urgence au Québec. J'y resterai deux ans et demi.

1. Paysans.

En octobre 1978, après cinq mois de convalescence – une éternité ! –, je recouvre la santé. Repartir en Bolivie ? C'est mon obsession. Lorsque je fais part à ma provinciale[1] de mon intention de retourner en Amérique du Sud, sa réponse est sans appel :

– Marie-Paul, ce n'est pas possible. Tu viens de faire la preuve de ton inaptitude aux exigences d'une vie de missionnaire de brousse. Tu resteras ici, à Montréal.

Je suis humiliée. Contrariée. En compensation, ma supérieure m'offre un stage de six mois d'études en sciences humaines. Par la suite, elle me confie durant sept mois le poste d'aide-soignante à Sainte-Dorothée, une maison de repos pour nos sœurs en convalescence. J'y assure la bonne administration des médicaments, le suivi médical ainsi que la cuisine. Ensuite, on me nomme à Pont-Viau, à la maison de retraite des MIC, où j'effectue un remplacement comme infirmière du soir.

Parallèlement, je deviens bénévole de l'association Écoute Secours, une permanence téléphonique destinée aux Québécoises confrontées à une grossesse non désirée. Bien entendu, nous ne devons ni les juger, ni orienter de quelque façon que ce soit leurs choix, mais les écouter et accueillir avec compassion leur détresse. À leur contact, je me sens à

1. Supérieure majeure d'un ordre religieux.

nouveau en phase avec mon désir profond de secourir les femmes en situation de vulnérabilité. Parmi les tout premiers appels que je reçois, celui d'une certaine Isabelle, âgée de vingt-deux ans, enceinte de son grand-père maternel, me touche particulièrement. Elle me raconte en sanglotant qu'elle ne peut livrer son lourd secret à sa mère. Comme celle-ci adore son père, elle n'est apparemment pas prête à entendre la révélation de cet inceste... La jeune femme a quitté la maison familiale pour faire la cueillette des fruits saisonniers dans une ferme, en banlieue de Montréal. C'est là qu'elle s'est rendu compte de sa future maternité. La veille de son départ, le coupable était venu, à nouveau, dans sa chambre abuser d'elle. Isabelle me supplie de la mettre sur la piste d'une clinique pour une IVG (interruption volontaire de grossesse), une demande à laquelle je ne peux déontologiquement accéder. Néanmoins, je lui suggère d'en parler aux agriculteurs qui l'hébergent.

Trois mois plus tard, elle me rappelle, mais pour sa nièce, cette fois. La gamine de quatorze ans est enceinte de son père, Pierre, le frère d'Isabelle ! Je n'en crois pas mes oreilles : comme celle de Norma, à Irupana, à des milliers de kilomètres d'ici, cette famille vit sous l'emprise de deux criminels sexuels ! Nous échangeons longuement sur ce contexte parental dysfonctionnel. Je tiens à la rassurer :

– Non, ta nièce et toi ne devez pas avoir honte. La loi est de votre côté. Malheureusement, vous n'êtes pas les seules...

En effet, mon expérience ne cesse de me démontrer que, faute d'une prévention bien ciblée, partout dans le monde, des femmes subissent de tels drames. Au détour de la conversation, Isabelle m'apprend qu'après réflexion elle a fait le choix de garder le bébé. Les paysans qui l'ont accueillie, et auxquels elle s'est confiée, la soutiennent moralement dans sa démarche. Elle me dit être heureuse de porter son enfant et, sans même se douter que je suis religieuse, Isabelle me demande de prier pour elle et son petit...

L'infirmière que je remplace à Pont-Viau finit par reprendre ses fonctions. Comme j'avais assuré durant une année son poste de manière satisfaisante, ma supérieure accepte de reconsidérer ma situation. J'obtiens gain de cause, prête pour une nouvelle affectation : Baurès en Bolivie, à l'extrême nord-est du pays. Avec deux consœurs canadiennes, Sylviane et Rachelle, je suis appelée à y fonder une nouvelle antenne de notre congrégation. Puisque notre zone d'action est immense, nous prévient-on, il nous faudra, faute de routes, nous déplacer dans la jungle à pied, en pirogue ou à cheval. Nous décollons le 25 mars 1981. Je suis émue et folle de joie !

*
* *

Rejoindre le vaste département du Beni, voisin du bassin amazonien brésilien, est une véritable expédition. Après avoir atterri dans sa ville principale de Trinidad, je dois patienter plusieurs jours et me rendre tous les matins à la piste d'atterrissage, au cas où un avion de liaison militaire vers Baurès se présenterait. Après une semaine d'attente, le TAM[1] est annoncé. Sur le tarmac, c'est la cohue, une foule compacte se rue bruyamment vers l'escalier de l'avion. Les moteurs font un bruit d'enfer ! Je suis la dernière à monter à bord. Le pilote me pousse violemment pour refermer et bloquer, avec de simples câbles, la porte derrière moi. Lorsqu'au bout d'une heure elle se rouvre, j'aperçois en contrebas une masse d'enfants, tout sourires et les yeux grands ouverts, comme fascinés par ce vieux coucou de l'armée. Une scène attendrissante ! Au premier coup de tambour, ils entonnent un chant de bienvenue dans leur langue, celle des Amérindiens arawaks. Nous sommes accueillies en musique par les habitants, qui viennent nous montrer fièrement leurs instruments confectionnés sur place. Grandiose. Cette liesse populaire me va droit

1. Transport aérien militaire.

au cœur. À notre passage, les hommes, par coquetterie, s'empressent de boutonner leurs chemises, tandis que les femmes, en retrait, regardent timidement le spectacle.

Mes consœurs et moi sommes hébergées provisoirement dans un petit bâtiment à côté de l'église, où le curé a installé trois lits de fortune avec leurs moustiquaires, protégeant ainsi des insectes et des chauves-souris. Dans l'attente de notre futur logement, nous prenons nos repas dans une famille, qui nous adopte déjà : nous sommes devenues des *madres* extrêmement sollicitées ! Les premiers jours, j'ai un peu de mal à prendre mes marques. Par où commencer ? Afin d'évaluer efficacement les besoins sanitaires, je décide de rencontrer d'abord chacune des cent familles qui peuplent Baurès et ses alentours. Sylviane, qui est éducatrice, s'occupera de la catéchèse et de l'animation pastorale. Quant à Rachelle, auxiliaire d'infirmerie, elle se charge de la pharmacie de la paroisse et de la visite aux malades.

Je suis immédiatement frappée par la différence de rythme de vie entre les hommes et les femmes. Pendant que celles-ci s'occupent des bêtes et des enfants, lavent le linge à la rivière, partent chercher de la *leña*, du bois mort, pour les fourneaux de la cuisine, travaillent dans les champs ou confectionnent des chapeaux dans de petits ateliers d'artisanat, leurs compagnons, eux, se la coulent douce. Tantôt allongés dans leurs hamacs, tantôt attablés à la taverne, en train de s'enivrer avec une boisson à base de jus de pamplemousse et de maïs. À Baurès, on ne manque jamais d'alcool ! Comme les cultures de coca sont une des activités principales de la région, les trafiquants de drogue passent au village prendre discrètement leur cargaison. En échange de quoi ils offrent aux locaux d'énormes barriques de gnôle et mettent à disposition leurs avions comme moyen de transport local. J'avoue en profiter parfois quand je dois m'absenter pour me rendre à Trinidad ou pour atteindre différentes populations très éloignées dans la *selva*, la jungle...

En matière de santé, tout est à faire. Ma consœur éducatrice m'aide à constituer des groupes de femmes afin de les sensibiliser aux règles élémentaires d'hygiène. Car au village, les maisons, très exiguës, accueillent sans distinction les habitants et leurs animaux, poules, porcs, chiens galeux... Sans compter que les bambins font leurs besoins à même le sol de terre battue. Je découvre avec stupéfaction que les toits des habitations sont squattés par des chauves-souris et que le peu de vaisselle qui traîne n'est pas protégé de leurs excréments...

La pharmacie, dont le curé assure l'approvisionnement, pose des problèmes de gestion. Combien de fois, Rachelle et moi, le surprenons-nous en train de distribuer les médicaments comme des petits bonbons ! Nous avons beau lui expliquer qu'un antibiotique ne soigne pas les maux de tête, rien n'y fait, le père Pedro est têtu comme une mule. Heureusement, ma consœur reprend vite les choses en mains. Dans les stocks, aucune trace de préservatifs ni de pilules... Cela m'inquiète, d'autant que les femmes, avec lesquelles j'arrive à tisser des liens de confiance, m'avouent être épuisées par leur marmaille et par les exigences des maris, qu'elles doivent satisfaire sexuellement bien plus qu'elles ne le désirent. « Les hommes veulent le faire trop souvent ! » constatent-elles, fatalistes. Certaines évoquent des problèmes de violence conjugale due à l'abus d'alcool ; d'autres, très ennuyées, me parlent du bout des lèvres du nombre croissant de très jeunes filles enceintes. « Ici, c'est comme une maladie. » Ces mots-là me font mal. J'ai beau être religieuse, je suis également infirmière et humaniste. Je me dois de réagir, cela fait partie de ma mission, de mon travail. J'en discute avec mes consœurs. Mon idée de mettre en place des cours d'éducation sexuelle rencontre dans l'équipe d'énormes réticences. « Enfin, Marie-Paul, parler de sexe, ce n'est pas le rôle d'une religieuse ! » Malgré mes arguments, mes consœurs et le curé campent sur leurs positions. Nos relations vont d'ailleurs en pâtir durant des mois. Alors que nous avons toujours été solidaires, notre belle amitié se fissure. Nous nous évitons, Sylviane et Rachelle s'étant rangées du côté du père Pedro, qui ne veut pas entendre parler de ces cours. Faute d'appui de leur part, ce qui ne me facilite pas la tâche, je me retrouve seule et bien démunie face à l'urgence. Dieu sait si, dans la jungle comme ailleurs, faire évoluer les mentalités, cela prend du temps. J'ai bien conscience que comprendre le fonctionnement de cette microsociété patriarcale est indispensable à la mise en route de mes futurs projets.

Au village, il ne se passe pas grand-chose. Le soir, petits et grands se retrouvent à la messe, car la paroisse, unique endroit pourvu d'électricité, est devenue un lieu de rendez-vous communautaire incontournable. Mais à part cette réunion liturgique, aucune activité sportive ou culturelle. En me penchant de plus près sur les conditions de vie des jeunes, je constate que leurs seuls loisirs, comme ceux des adultes, sont l'alcool, le sexe et les revues pornos – mais oui, elles arrivent au fin fond de la jungle ! – avec les conséquences dramatiques que l'on imagine. Par exemple, Nancy, treize ans, une adorable fillette pour laquelle je me prends d'affection. Je connais bien sa famille. À l'occasion d'une visite, on m'apprend qu'elle est enceinte. De toute évidence, cette petite ne mesure pas ce qui lui arrive. Sa dignité est touchante. Sa mère me raconte qu'elles attendent un avion des *narcos* qui doit les emmener toutes les deux à Trinidad, la ville la plus proche, par ailleurs l'unique endroit, à une heure de vol, où il est possible de recevoir des soins médicaux en plus de se procurer préservatifs et contraceptifs. Je suis soulagée : heureusement pour Nancy, son interruption de grossesse va au moins se dérouler à l'hôpital. Mais toutes les filles du village n'ont pas cette possibilité. Celles qui sont issues des milieux les plus pauvres n'ont d'autre choix que celui de rester à Baurès et d'y subir des avortements clandestins dans des conditions terriblement insalubres. La petite Maria y laissera la vie... Je suis hors de moi. Je veux comprendre pourquoi le nombre de jeunes filles enceintes – parfois dès douze ans ! – est en augmentation à Baurès.

Après mes longues journées dédiées aux soins des malades et aux visites aux familles, il m'arrive de discuter avec des groupes d'adolescents de leur conception des relations garçons-filles, de leurs projets professionnels... De fil en aiguille, je finis par découvrir le pot aux roses : les soirées à l'église servent d'appât aux prédateurs sexuels ! Ce que l'on m'apprend me sidère. Avant l'office religieux du soir, les hommes, la plupart pères de famille, rôdent à l'arrière de l'église, dans la pénombre des buissons et des arbres, avant d'y entraîner leurs jeunes proies qui se rendent à l'office. Inexpérimentées, elles se laissent faire sans protester. Et pour cause, comme dans toute l'Amérique latine, les femmes en général se montrent entièrement soumises. Au point de se sentir « obligées » d'accéder à tous les désirs sexuels des machos, sous prétexte « qu'on ne dit pas non à un homme » ! Le comble étant qu'après ces viols auteurs et victimes se retrouvent sur les bancs de la paroisse à prier, comme si de rien n'était. Intolérable ! Les questions se bousculent dans ma tête. Comment procéder pour tenter de changer les choses tout en respectant les traditions locales ? Dois-je, en tant qu'infirmière, prendre l'initiative de rassembler tous les jeunes gens du village et leur montrer, lors de rencontres régulières, le chemin d'une sexualité responsable ? Faut-il y associer les adultes, et comment ? Première difficulté, organiser des rencontres mixtes. Comme à l'église, les deux sexes n'ont pas l'habitude de se mélanger en public, les hommes d'un côté, les femmes de l'autre. Il faut donc opérer en douceur et par étapes. Ma priorité : les adolescents. Avec l'accord de leurs parents, je vais d'abord leur proposer la création d'une chorale, qui par nature regroupera les deux sexes. L'occasion pour eux d'apprendre à mieux se connaître et surtout à se rencontrer « autrement » que derrière la paroisse, en trois minutes chrono ! Et puis le chant a l'énorme avantage de mettre tout ce petit monde sur un pied d'égalité, une nouveauté à laquelle les filles ne sont guère habituées, et qui va les valoriser.

Au bout de quelques mois, mes efforts paient. Jusqu'ici désœuvrés, les jeunes jouent le jeu et adhèrent massivement au projet artistique. Ils commencent à donner des concerts dans un petit centre sportif construit avec des adobes (briques en terre). Leurs voix sont magnifiques ! Ils me disent être fiers de ce qu'ils réalisent tous ensemble. Je leur réponds : « C'est très bien, mais il ne faut pas vous arrêter en si bon chemin. Vous voulez faire du sport ? » Ils sont enthousiastes ! Nous retroussons nos manches et mettons les habitants à contribution pour créer des comités – foot, volley, basket... Je me rends à La Paz afin de débloquer des subventions d'un organisme gouvernemental dédié aux populations éloignées. Tout le matériel sportif nous sera ainsi acheminé gratuitement. Les jours de compétition, les mamans préparent des limonades au citron et au pamplemousse ; les pères délaissent le bistrot pour assister aux épreuves, et parfois y participent. Composée de jeunes de douze à quinze ans, une troupe folklorique monte également des spectacles, qui rencontrent un joli succès. Je suis heureuse de voir à quel point ils communiquent entre eux avec plus de respect. En dansant, les garçons prennent délicatement les filles par la taille, s'ajustent à leur rythme...

Dire qu'à mon arrivée toutes les jeunes filles et les femmes portaient des robes longues en nylon qui empêchaient toute pratique sportive et chorégraphique ! Dans le centre de couture – une petite salle attenante à notre logement – que mes consœurs et moi avons aménagé, les femmes créent désormais des modèles de robes courtes en coton, des jupes-culottes, des shorts... Pour le foot, j'ai imposé le bermuda aux filles de la ligue féminine, une mini révolution. Les mères de famille aussi s'essayent aux activités proposées. C'est ainsi qu'elles gagnent progressivement l'estime de la gent masculine, obligée de reconnaître leur adresse physique. Il me semble évident que tous ces événements émancipateurs, qui créent du lien social et de la fraternité, offrent des conditions idéales pour éveiller les consciences et ouvrir la voie à une sexualité plus saine.

Les longues absences du père Pedro, en tournée dans tout le département, sont l'occasion pour moi d'avoir les mains libres pour organiser, dans une salle paroissiale, mes premiers cours hebdomadaires d'éducation sexuelle. Au début, les jeunes se montrent extrêmement gênés lorsque nous parlons de leur intimité. Par souci de pédagogie, je m'aide de grandes planches anatomiques que j'ai réalisées sur des cartons. Certains cachent leur visage dans leurs mains pour ne pas les regarder. Mais après plusieurs séances, ces dessins leur sont devenus familiers. Certains m'offrent de très jolies peintures de corps dénudés qu'ils ont réalisées eux-mêmes. À travers ce geste, ils me signifient avoir compris que mon but n'est pas de les offenser, mais de les aider. Au cours de ces rencontres, chacun prend la parole à tour de rôle. Je leur parle de l'importance de s'aimer avec respect. « L'acte sexuel doit se pratiquer dans la douceur. Vous savez, la violence ne mène à rien, elle n'est que l'expression d'un profond malaise. » Tous sont d'accord et se montrent particulièrement intéressés quand je leur explique les fonctions génitales de l'homme et de la femme, le cycle ovulatoire, des notions comme le désir, l'érotisme... Ils me posent énormément de questions. Beaucoup n'avaient jamais établi de lien entre rapport sexuel et risque de grossesse ! Nous discutons de tout. Je ne ressens plus de barrières entre ces jeunes et moi ; ils ont l'habitude de me voir faire du sport, jouer de l'accordéon avec eux... Ils ont confiance et savent qu'ils peuvent s'exprimer librement. Je les écoute sans les juger. Toutefois, certaines problématiques sont plus délicates à aborder que d'autres. Je leur suggère alors de les mettre en scène dans des petites saynètes qu'ils interprètent. Les filles montrent, par exemple, qu'elles veulent pouvoir accepter ou refuser un rapport intime. Qu'il n'est pas un dû. Les garçons évoquent leurs pulsions pour ces demoiselles… Nous abordons les notions de sensibilité affective, d'amour, de parentalité. Je leur dis : « Surtout, n'oubliez pas que le plaisir, c'est beau, c'est grand. Mais fonder une famille, avoir des enfants, c'est autre chose. Cela nécessite un véritable engagement de couple. Et je ne crois pas que cela puisse se faire avec de multiples partenaires et à n'importe quel âge. »

En leur parlant de l'usage du préservatif ou de la méthode Ogino, j'insiste sur le fait que la contraception ne doit pas servir à « abuser » d'une femme. Au contraire, elle doit permettre que l'échange amoureux, entre adultes consentants, soit plus détendu, car non perturbé par la crainte permanente d'une grossesse non désirée. Je leur démontre aussi qu'une relation sexuelle n'est pas un simple jeu comme une partie de foot, mais qu'elle nécessite de la maturité. J'aborde sans tabou la question de l'avortement, qui n'est pas une bonne solution, parce qu'il marque profondément le psychisme des filles et qu'il peut les tuer dans leur affect. À mon grand regret, il m'est impossible de mettre en place une structure de planning familial dont Baurès aurait tant besoin, car la pharmacie du village ne propose toujours pas de moyens de contraception. Fidèle aux préconisations du Vatican, notre brave curé refuse d'en passer commande en Europe ! Il est vrai qu'entre lui et moi le courant ne passe plus du tout. Nous sommes en désaccord permanent. Il me reproche principalement de vouloir faire la promotion de la contraception. J'ai beau le lui expliquer, il refuse d'admettre qu'il s'agit là d'un grave problème de santé publique. Sur ce point, j'avoue n'avoir jamais suivi le discours strict de l'Église, trop attachée à des méthodes, oubliant l'idée d'une santé globale. D'après moi, chaque être humain doit être bien dans son corps et dans ses choix de vie pour se sentir libre, heureux, en bonne forme physique et spirituelle. C'est en tout cas le message que j'essaie de faire passer dans ma pratique de missionnaire et de soignante.

Mes interventions auprès des jeunes commencent à porter leurs fruits. Ils ont à l'esprit qu'être parents avant l'âge n'est pas un projet de vie épanouissant. Ici, au Beni, lorsqu'une fille refuse de se faire avorter, la tradition exige qu'elle s'en aille, le temps de sa grossesse, avec le père du bébé. Cette disparition est bien sûr vécue comme un drame dans sa famille, qui n'est pas dupe. Le couple se rend alors dans un village voisin, jusqu'à l'accouchement. Pour revenir ensuite avec le nourrisson, accueilli et célébré comme il se doit au cours d'une grande fête. La jeune maman, qui a ainsi gagné le respect de son père et celui du village, retrouve naturellement sa place dans la communauté. Même si par la suite son compagnon la délaisse. Un abandon d'autant plus difficile à supporter pour elle qu'il précipite la mère célibataire dans une grande précarité. Quand Nancy est rentrée de Trinidad, nous avons beaucoup parlé toutes les deux. Elle m'a avoué que son abuseur avait vingt-cinq ans et qu'il avait déjà eu plusieurs compagnes et des enfants !

Des groupes d'hommes et de femmes participent également à mes cours, mais séparément. Les mères de famille le font poussées par leurs filles, tellement fières d'avoir acquis des connaissances sur leur corps et leur sexualité. « Servir l'homme » : la tradition machiste, perpétuée par les mères dans l'éducation qu'elles transmettent, est un point essentiel qu'il faut remettre en cause à chaque séance. Cela suscite énormément de questions de leur part. Je constate qu'entre nous les discussions sont très ouvertes, les femmes se montrant particulièrement réceptives et demandeuses. Elles me confient assez spontanément leurs soucis, qui tournent généralement autour de la maternité, de la manière de faire l'amour, de l'alcoolisme de leurs compagnons et de la violence de leurs rapports : « Quand il rentre ivre à la maison, il m'attrape brutalement derrière le rideau. » Autre préoccupation, les grossesses précoces. « *Madre*, je ne sais pas quoi dire à ma fille pour qu'elle ne tombe pas enceinte. » Sans que je le leur suggère, elles insistent pour que j'aille « parler aux hommes pour qu'ils changent ! » Un vrai challenge pour moi, car communiquer avec les machos est loin d'être évident.

Le travail a commencé par petits groupes de cinq, que je rencontre une fois par mois. Les premiers temps, ces messieurs sont fermés comme des huîtres et très mal à l'aise. Une religieuse qui leur parle de sexe... Ces éleveurs, qui passent leurs journées à marquer les troupeaux, ne savent pas trop comment se comporter à mon égard. Ils ne pipent mot. À chaque réunion, je déploie des trésors de diplomatie. L'amour authentique, l'égalité entre les sexes, les méfaits de l'alcool et de la drogue sur l'équilibre familial sont les premiers thèmes abordés. Je n'hésite pas à les remettre gentiment, mais fermement en cause : « Votre modèle n'est pas le bon. Vos femmes ne doivent pas être vos esclaves sexuelles et domestiques. Soyez des chefs de famille responsables et respectueux. Des gentlemen ! » Ils n'ont manifestement aucune idée de ce que peuvent être des rapports amoureux et sexuels basés sur la tendresse. « Quand vous pénétrez votre femme, comprenez-vous que vous puissiez lui faire mal ? Prenez donc le temps de la caresser, de lui dire des mots doux... » Ils boivent mes paroles. Leurs yeux s'arrondissent comme si une bombe avait anéanti toutes leurs certitudes. Dans l'ensemble, ils réagissent positivement et saisissent bien le message que je leur envoie. À la fin des séances, ils me remercient pour les petits conseils que je leur donne. Peut-être parce qu'ils sont aux antipodes des sermons ultraconservateurs et culpabilisants du père Pedro, pour qui la sexualité et les femmes sont les pires afflictions !

Je ne vais malheureusement pas pouvoir mesurer l'impact à long terme de mes interventions car, au bout de trois ans, ma communauté m'oblige à quitter Baurès. Je tombe des nues. Je vis ce départ précipité comme un cataclysme, car je me sens profondément attachée à cette population. Encore un coup bas du père Pedro ! Mais il n'est pas le seul à vouloir mettre un terme à mon travail.

Quelques mois auparavant, je m'étais rendue avec mes consœurs à Trinidad, invitée à participer à une grande assemblée diocésaine. J'avais appris que l'un des deux évêques organisateurs était un drôle de loustic qui buvait plus que de raison, et avait une maîtresse régulière. De plus, je savais que bon nombre des prêtres invités ne respectaient pas non plus leur célibat, certains ayant même mis des femmes et des religieuses enceintes... Au début de cette réunion, les évêques attaquent bille en tête sur le fait qu'à Baurès les enfants de couples non mariés religieusement se font malgré tout baptiser. Rome, soi-disant, ne tolère plus cette situation...

Le Vatican tient à rappeler, nous disent les évêques, que seuls les enfants de parents mariés – et fidèles ! – sont habilités à recevoir les sacrements. La question fait débat. Des prêtres discutent entre eux, prennent la parole et finissent par conclure qu'il faut suivre le Vatican et aller même plus loin, en interdisant la communion aux couples concubins. Autant dire à tout le monde, puisque le mariage ne fait pas partie des rites locaux. Excédée par tant d'inepties et d'hypocrisie, je lève la main et je leur dis, en les fixant bien du regard : « Écoutez, il y a quelque chose ici qui m'échappe. Comment vous, prêtres, pouvez-vous à la fois avoir des relations sexuelles avec des femmes célibataires, mariées ou avec des religieuses, et célébrer l'eucharistie et communier ? Expliquez-moi cette incohérence. » En guise de réponse, un silence pesant s'est abattu sur l'assemblée. Un des évêques a clos la discussion. Prétextant que certains sujets ne doivent être abordés qu'entre prêtres, il m'a demandé de quitter les lieux avec mes consœurs… Ma (mauvaise) réputation était faite. Et mon sort réglé.

Le 8 décembre 1983, jour de la fête patronale de l'Immaculée Conception, le seul commerçant qui dispose d'un petit émetteur radio dans son arrière-boutique vient me chercher, alors que je fais répéter la chorale pour Noël :

– *Madre*, venez avec moi. On vous demande de Lima. Votre supérieure, que j'ai en ligne, veut que vous partiez avec tous vos bagages !

Cette sanction tombe comme un couperet. Enseigner l'Évangile, préparer aux sacrements, soigner les malades relève, d'après les autorités religieuses, de mon projet pastoral, mais en aucun cas le sport, la sexualité et la danse ! Je vis mon départ comme un arrachement, d'autant que personne au village n'arrive à comprendre ce qui se trame en coulisses. Avant de quitter Baurès, je réunis quelques fidèles. « Rien ne doit vous empêcher de communier sans être mariés. Je ne suis pas d'accord avec notre clergé sur ce sujet. » Nos adieux sont déchirants. Je leur livre la vérité : mes prises de position m'ont mis les autorités religieuses à dos. Les villageois se montrent surpris de cette sanction, perçue comme injuste parce qu'ils savent tous pertinemment – c'est ici un secret de Polichinelle – que dans la réalité, et malgré leurs beaux discours, beaucoup de prêtres ont, comme eux, une vie sexuelle active. D'ailleurs, avant mon départ, je peux une fois de plus m'en rendre compte *de visu*. À l'occasion d'une visite à l'hôpital, je rentre dans la chambre d'une religieuse qui vient d'être opérée. Son ami, un prêtre, la tient tendrement par la main, aux petits soins pour elle. Les infirmières et moi n'avons aucun doute là-dessus, ces deux tourtereaux-là sont en couple !

À mon arrivée à Cochabamba, ma supérieure, qui a fait le déplacement du Pérou, m'explique qu'il faut que je l'accompagne à Lima où une nouvelle affectation m'attend déjà. « Marie-Paul, je suis désolée, mais l'évêque ne veut pas que tu donnes des cours d'éducation sexuelle. Ce n'est pas le travail d'une missionnaire. C'est délicat de parler de ces choses. » Ces derniers mots reviennent dans son discours comme un leitmotiv. Moi, je bouillonne à l'intérieur. Pendant qu'elle me passe un savon – en provenance directe de Trinidad –, les visages des enfants de prêtres que j'ai connus défilent dans ma tête. Abandonnés par leur père, ils sont entièrement à la charge de la mère.

Cette situation fait basculer ces familles monoparentales dans un gouffre financier énorme, qui les fragilise d'autant plus. Pris de remords, certains géniteurs finissent par leur verser une maigre pension. Mais ces cas restent rares. Dans les villages où je me suis rendue, j'ai eu très souvent l'occasion de discuter avec des adultes, fils et filles de prêtres, qui tous, sans exception, m'ont confié vivre cette condition dans la douleur, tant la honte d'avouer aux autres qui est leur géniteur les anéantit. Il arrive aussi que des prêtres fassent le choix de mener une double vie, continuant à rendre visite clandestinement à leurs enfants et à leur maîtresse. Alors, ces messieurs, possessifs et jaloux, font pression sur cette dernière en la persuadant de ne pas refaire sa vie avec un autre. Si elle passe outre et prend un nouveau compagnon, ils disparaissent dans la nature en laissant tomber les gosses... Mes nombreux voyages autour du globe m'ont appris une chose : ce genre de comportement machiste ne se limite pas à l'Amérique latine. J'ai pu l'observer en Amérique du Nord, en Europe et en Afrique !

À peine posé-je mes valises à Lima, dans le *barrio* de Santa Luzmila, réputé pour être l'un des plus dangereux de la ville, que je me heurte à des comportements d'une violence inimaginable. Je surprends des hommes saouls qui ont des rapports sexuels dans la rue – même devant la porte de notre congrégation ! –, avec des femmes ivres elles aussi, qu'une fois satisfaits ils prennent plaisir à tabasser. La bestialité des humains me laisse perplexe et perturbée. Aucun animal ne ferait subir cela à ses congénères ! Mais j'observe bien pire. En cinq ans, Lima est devenue infernale. Sa population est passée de cinq à trente-deux millions d'habitants, en raison de la guerre civile menée par le Sentier lumineux. Cette organisation terroriste d'inspiration maoïste contrôle de vastes régions rurales du Pérou, en particulier dans les Andes, et commence à s'implanter dans les villes, surtout dans certains bidonvilles de Lima. Malgré les moyens mis en œuvre, le gouvernement n'arrive pas à éradiquer l'influence du mouvement. C'est là que je suis confrontée à une déviance dont jamais je n'aurais pu soupçonner l'existence : la pathologie sexuelle liée à la guérilla. Des *senderistas*[1] ont un orgasme en assassinant de pauvres paysans qui refusent de se faire enrôler de force. Je comprends vite que, pour les rendre toujours plus féroces au combat, on les conditionne à jouir en tuant. Ainsi, ils deviennent rapidement des sortes de machines de guerre dépendantes à ces orgasmes d'une intensité inhabituelle, comme on peut l'être avec une drogue dure ou un film porno. Toutes ces horreurs, encore plus terribles que celles que j'ai pu vivre durant la guerre civile en Bolivie, me révoltent, bien sûr. Mais elles me confirment dans l'idée que la sexualité est au cœur même de notre humanité. L'envie de parfaire mes connaissances dans ce domaine pour pouvoir secourir, non seulement comme infirmière mais comme thérapeute, les victimes de violences, fait son chemin.

À Santa Luzmila, je commence à travailler avec les gamins des rues sur la prostitution juvénile et la pédophilie. Les petits me racontent, très embar-

1. Littéralement « ceux du Sentier ». Membres du mouvement terroriste du Sentier lumineux.

rassés, comment s'est passée leur première fois avec un client. Ils sont très jeunes, de cinq à douze ans ! Parler les soulage – certains pleurent à chaudes larmes – et leur permet de se libérer de cette peur qui ne les quitte jamais. Pour tous, le scénario est le même. Complices du système, les parents mettent leur progéniture sur le trottoir, exigeant d'eux qu'ils rapportent une certaine somme d'argent chaque jour à la maison. Toute l'économie familiale en dépend. S'ils n'y arrivent pas, ils sont battus et privés de nourriture. Que se passe-t-il dans leur petite tête quand ils se prostituent ? Ils se « dissocient » et deviennent insensibles quand ils accomplissent leur « travail ». Pour appâter le client, ils font office de cireurs de chaussures. Les pédophiles connaissent leur petit manège : échanges de regards, œillades… Les enfants leur sourient et leur font des propositions. L'adulte les conduit alors en voiture jusqu'à une chambre d'hôtel. Pour les plus jeunes, l'acte se limite généralement à une fellation, durant laquelle le prédateur masturbe le garçon. Ils me disent être dégoûtés, tout en savourant leur petite vengeance. À peine le client a-t-il baissé son pantalon qu'ils repèrent où il a glissé son portefeuille… Une fois le « service » terminé, ils arrivent à le subtiliser avant de prendre la poudre d'escampette ! Au lieu de les secourir, les autorités se contentent de fermer les yeux. La prostitution des enfants, un tabou de plus dans une société pervertie par la corruption. Face à autant de lâcheté de la part des adultes, j'accomplis mon devoir de missionnaire : écouter ces enfants et leur démontrer que leur situation n'est pas tolérable. Victimes de maltraitances de la part de leurs parents, ils sont malheureusement trop jeunes pour s'en rendre compte par eux-mêmes. Je ne me fais guère d'illusions, mon action n'est qu'une goutte d'eau dans un océan d'injustice. Récupérer et sauver ces milliers d'enfants passe par un changement radical de l'ordre social et économique mondial.

À Lima, comme en Bolivie, le climat entre les hommes et les femmes est extrêmement tendu et malsain. Les violences conjugales, les grossesses non désirées, la prostitution, les viols, la drogue sont responsables de tant de souffrances... Par chance, le curé du *barrio*, le père Jack, un Américain, se montre très ouvert d'esprit et favorable à ce que je donne à tous ces jeunes livrés à eux-mêmes, nés dans un milieu gangrené par les trafics, des cours d'initiation à la sexualité. D'autant qu'il sait que j'ai obtenu de bons résultats en Amazonie. Je mets donc en place des interventions de prévention, tout en encourageant la pratique sportive sur l'immense terrain vague situé devant la paroisse. Mon implication ne dure malheureusement pas une année. Je reçois une nouvelle obédience, cuisinière au couvent de Balconcillo. Malgré tout, la vie me pousse à nouveau à initier les mêmes activités – l'éducation sexuelle, sans aucun doute, est essentielle pour un peuple en bonne santé. Au bout d'un an, à la suite de désaccords avec ma nouvelle provinciale, qui ne tolère pas qu'une missionnaire parle de sexualité et non de religion, je suis rapatriée au Canada. Une fois rentrée, j'obtiens un rendez-vous avec la générale de ma congrégation, pour lui raconter tout ce que j'ai vu, vécu et mis en place en Amérique du Sud.

– Sœur Myriam, je veux entamer des études de sexologie !

– Écoute, Marie-Paul, sois raisonnable. Ce que tu me demandes là est insensé, on n'a jamais vu une religieuse étudier la sexologie. As-tu bien réfléchi à cette donnée ?

– Oui, j'ai réfléchi à tout cela. Mon expérience m'a montré que la sexualité est au cœur de l'épanouissement des individus, laïcs ou religieux. Je veux acquérir de vraies compétences dans ce domaine et devenir thérapeute. Il faut que j'obtienne un diplôme.

– Bon. Tu sembles déterminée. Je suis finalement d'accord pour que tu passes une licence en sexologie à l'université de Laval, à Québec. Mais surtout, promets-moi une chose, sois très discrète !

CHAPITRE 3

Mes premiers pas en sexologie

Université Laval, juillet 1986

– Madame, je pense que vous vous êtes trompée de département. C'est votre communauté religieuse qui paie pour vous ?

– Oui, je veux m'inscrire en sexologie ici, à Québec.

– C'est absolument impossible, nous n'accueillons pas de bonnes sœurs.

– On dit que la sexologie est une science. En tant que citoyenne du Canada, j'ai parfaitement le droit de m'inscrire dans un tel parcours scientifique. Et je ne vois pas ce qui pourrait m'en empêcher !

Je me rappellerai toujours l'instant où j'ai tendu un chèque émis par les Sœurs missionnaires de l'Immaculée-Conception au directeur des programmes de la faculté de médecine. Après un long moment d'hésitation, il finit par accepter mon dossier et encaisser mon règlement. Je suis si heureuse d'avoir obtenu gain de cause et de devenir une étudiante comme les autres, locataire d'une petite chambre située dans le quartier résidentiel de Montcalm ! Je suis tellement avide de connaissances que je me suis inscrite à un maximum de cours.

Les différents stages en milieu hospitalier effectués durant mes études d'infirmière – de 1973 à 1976 –, m'avaient déjà mise en prise directe avec la souffrance des malades et leur misère sexuelle. À l'époque, j'avais été confrontée à des cas de masturbation compulsive chez des personnes âgées en fin de vie, suivies en gériatrie. Dans le service de psychiatrie, de nombreux patients manifestaient des troubles. Il m'était arrivé de devoir éconduire gentiment des malades en très forte demande qui me proposaient plusieurs fois par jour de coucher avec eux. Médecins et infirmières, un brin dépassés, en étaient venus à se demander s'il ne fallait pas, pour les calmer, leur proposer en parallèle une alternative aux médicaments « classiques ». Comme j'étais moi-même sportive, ils avaient accepté que je prenne la responsabilité d'emmener régulièrement des malades à l'extérieur pour qu'ils puissent se dépenser physiquement. Nous effectuions ensemble des mouvements de gymnastique et des exercices respiratoires qui diminuaient leur stress et apaisaient leurs tensions.

Il est clair que mon métier d'infirmière et de missionnaire m'avait jusqu'alors fait comprendre, de manière purement intuitive, qu'une bonne santé physique passe nécessairement par une bonne santé sexuelle. Mais l'expérience du terrain a ses limites. La sexologie m'apportera ce qui me manque : les moyens d'une réflexion scientifique.

Mes camarades de cours – une quarantaine, plutôt sympas –, ne sont pas dupes. Malgré mes jeans, ils ont vite compris qui je suis et se moquent gentiment de moi – une religieuse en sexologie ! Pourtant, ils me regardent rapidement d'un autre œil, et se rendent compte que je n'ai pas ma langue dans ma poche en classe ! L'un de nos professeurs principaux passe des heures entières à nous parler des dérapages au sein de l'Église. Pédophilie, coucheries… Tout y passe, et j'ai l'impression de ne rien apprendre de neuf.

– Sur le sujet, j'en sais tellement plus que vous ! On ne pourrait pas aborder d'autres thèmes ? lui lancé-je un jour, agacée.

Ma demande, appuyée par la classe, peu intéressée par ces questions, est exaucée. Il a complètement réorganisé ses cours, en y glissant des projections de films pornos et érotiques !

Dans cette formation, certains professeurs invités viennent de l'université Berkeley (San Francisco) ou de l'UCLA (Los Angeles) et nous enseignent l'érotologie, à savoir toutes les positions érotiques, le langage amoureux, etc. Sont également au programme les études d'Alfred Kinsey, de William H. Masters et de Virginia Johnson, trois pionniers de la sexologie humaine qui ont étudié dans leurs labos les pratiques de milliers de couples. Autant de domaines dans lesquels je n'étais plus une « niaiseuse ». En effet, lorsque j'étudiais à l'école d'infirmière, il m'est arrivé de consulter des livres spécialisés dont j'avais appris toutes les positions, car je devais être à l'écoute des problèmes intimes rencontrés par les patients inquiets pour leur sexualité. J'avais bien sûr suivi des cours d'anatomie, mais tout le reste, l'érotisme et les relations amoureuses, était laissé de côté dans les programmes. Grâce à mes lectures, j'ai pu leur prodiguer, ainsi qu'à leurs compagnes, quelques conseils sur les positions à adopter afin de pouvoir conserver, malgré leurs limites physiques, une vie sexuelle active.

J'aurais pu m'inscrire dans une université à Montréal qui offrait des formations en sexologie, mais j'ai vite renoncé à cette idée : il était arrivé que les cours comportent là-bas – sous l'influence de maîtres français – des exercices pratiques entre professeurs et étudiants. Et je me voyais mal, en travaux dirigés, explorer mes zones érogènes devant tout le monde ! Cette initiative pédagogique choquerait terriblement aujourd'hui mais, à l'époque, personne n'y trouve à redire. À tel point qu'une certaine confusion règne dans les amphis québécois, où le mot « sexologie » est parfois mis à toutes les sauces, celles du plaisir, de l'orgasme, du point G, de la sensibilité des organes, des outils de stimulation... Avec le plus grand sérieux, on nous démontre que si dans un couple la femme ne peut avoir d'orgasme avec son mari, il faut qu'elle tente d'en avoir un avec son thérapeute. En cas de succès, la preuve est faite qu'elle peut y arriver avec son compagnon... La dérive est totale, on nage en plein mélange des genres dont le libertinage est le remède miracle. Ces enseignants sont absolument sûrs de leur méthode et soutiennent *mordicus* qu'elle est très efficace ! À des années-lumière de ce folklore très *summer of love*, certains cours, qui abordent les dysfonctionnements et les abus sexuels, revêtent un caractère scientifique. Toutes ces problématiques me passionnent au point d'aller jusqu'au mastère spécialisé. Je passerai tous les niveaux en trois ans au lieu des six habituels. Dès l'obtention de mon certificat, l'université m'accorde le droit d'établir mon propre programme en y incluant des contenus des départements de médecine, de psychologie, de biologie et de sociologie. Si je garde une certaine distance avec les professeurs, j'échange énormément avec les étudiants. Lorsque je les questionne sur leur façon de vivre leur sexualité, ils répondent très spontanément à ma curiosité et se montrent intéressés par mon expérience de missionnaire en Amérique latine. Ces contacts amicaux avec le monde laïc sont une source d'enrichissement très importante pour moi.

Les déviances les plus lourdes étant étudiées en hôpital psychiatrique, je poursuis une partie de mon cursus au département de *counseling clinic* d'un centre hospitalier spécialisé en évaluation et traitement des troubles du comportement sexuel. Cette discipline anglo-saxonne est basée, pour l'essentiel, sur une forme d'accompagnement psychologique et social des individus, favorisant leur potentiel d'évolution et de changement. Une fois encore, je dois batailler, car le corps professoral s'oppose à la venue d'une religieuse-missionnaire dans les services. « Votre projet est fou, ça ne tient pas la route », m'entends-je dire. Eh bien oui, et j'irai jusqu'au bout de ma folie, quitte à menacer de déposer plainte pour discrimination ! J'obtiens, bien sûr, une nouvelle fois gain de cause.

À l'hôpital, les méthodes de travail sont très différentes de celles de la faculté à l'université, où chaque discipline tire la couverture à elle. Sur les cas les plus difficiles, tout le monde, ici, travaille main dans la main – psychologues, psychiatres, criminologues et sexologues. Bien que l'interdisciplinarité soit de mise, personne, au début, ne m'adresse la parole. Le fait que je sois religieuse suscite énormément de méfiance. Durant les études de cas, on ne me prend guère au sérieux. Mes observations sont souvent tournées en ridicule. Une situation vraiment délicate. L'une des missions de l'hôpital est d'établir les diagnostics des délinquants sexuels dont les procès sont en cours. Je m'accroche. Pas question de lâcher prise. Je finis par les convaincre de ma motivation. Pour la première fois depuis plus de deux ans, j'ai le sentiment d'apprendre, sur le terrain, les outils essentiels à ma pratique future.

Certains violeurs arrivent de la prison directement menottés ; d'autres, en attente d'un premier jugement, sont soumis à d'indispensables évaluations légales. Généralement, par sécurité, elles se déroulent en présence de deux étudiants. Ce qui n'a pas été le cas pour moi la première fois. Un jour, un responsable me met à l'épreuve : « Dépêche-toi, ton patient arrive. Tu dois te débrouiller toute seule ! » Est-ce pour me tester ? En tous cas, je suis bien servie ! L'homme en question est un colosse de plus de deux mètres, une montagne de muscles qui fonce vers moi et me toise. Je n'en mène pas large face à ce Rambo, même si je sais que derrière la porte, un policier est prêt à intervenir.

– Alors, c'est toi, la sexologue ?

– Oui, c'est moi.

– Qu'est-ce que tu as envie de faire avec moi, petite sexologue ?

Il ignore, bien sûr, que je débute dans le métier.

– Asseyez-vous, je vous prie.

– Veux-tu connaître mon histoire ?

– Bien sûr, racontez-la-moi.

Il m'explique son parcours. Il a pris perpète pour avoir tué et violé.

À la fin de notre entretien, il me regarde dans les yeux et me dit :

– Alors, petite sexologue, ça t'épate, hein ? Tu fais quoi, maintenant ?

– Moi, rien. Mais je connais la seule personne qui puisse agir. C'est vous !

Pendant plusieurs mois, nous sommes restés en contact. J'ai réussi à le persuader de commencer rapidement une thérapie. Lui a joué le jeu, sachant pertinemment qu'avant de redevenir un homme, il avait une sacrée montagne à gravir...

Puisque les professeurs ont pu juger de mes capacités à gérer et évaluer mon bûcheron, ils n'hésitent plus à m'envoyer des patients. « Dis donc, Marie-Paul, on n'en revient pas qu'une missionnaire puisse autant s'impliquer dans des problématiques sexuelles ! » À cette époque, je consulte non-stop de 7 heures du matin à 23 heures, trois jours par semaine. À cela s'ajoutent mes cours à la fac. Je suis épuisée ! Le plus fatigant est de déployer des trésors de diplomatie et de patience pour gagner la confiance des délinquants, un lien absolument nécessaire à la bonne conduite du travail thérapeutique futur. J'ai la chance d'avoir été placée en binôme avec un stagiaire débutant comme moi. Nous nous entraidons en filmant nos entretiens et en les critiquant ensuite. Nous commentons ensemble nos tests d'évaluation et nos rapports légaux qui mobilisent l'ensemble de nos connaissances.

En 1989, je termine mon mastère avec succès, reconnue comme sexologue clinicienne de l'Association des sexologues du Québec : il est temps pour moi de retourner en mission à Lima. Un point sombre menace pourtant mes projets : la nouvelle supérieure générale m'invite à sortir de communauté – à défroquer :

– Une sœur sexologue est un sujet de honte selon les organismes religieux.

Elle ajoute :

– Je ne sais pas ce qu'une provinciale peut faire avec une sexologue.

Je communique donc avec Lima expliquant ma situation à la nouvelle supérieure provinciale qui m'ouvre alors une porte :

– C'est justement ce dont nous avons besoin, une spécialiste en sexologie.

De retour au Pérou en octobre 1989, je commence à travailler à partir des méthodes apprises à l'université. Mais j'ai vite l'impression de ne pas donner aux personnes ce dont elles ont réellement besoin. Ce constat m'amène à intégrer mes connaissances d'infirmière à mes compétences de sexologue pour traiter l'être humain en détresse « dans son ensemble ». C'est à partir de cette démarche-là que je vais concevoir l'ébauche du MIGS (modèle d'intervention globale en sexologie), une thérapie nouvelle dont l'architecture fera l'objet de ma thèse de doctorat.

Avec l'appui de ma provinciale, sœur Thelma – une amie qui avait défendu à mon côté les mineurs boliviens –, je m'installe dans le *barrio* de Breña, un quartier encore plus dangereux que ceux que j'ai connus précédemment.

À sa demande, mes premières interventions sont destinées à des prêtres, des séminaristes, des religieuses de différentes communautés, auxquels j'apporte une formation complète sur la sexualité.

Je parle clairement du fonctionnement des émotions, des pulsions, des addictions sexuelles, des excitations génitales... Certains prennent rendez-vous pour travailler sur leurs propres fêlures. Ils sont généralement très ignorants de toutes ces choses et se montrent fort surpris de voir que la vie religieuse se construit aussi en grande partie sur la manière de vivre sa sexualité, son célibat, la chasteté. Je pose à plat, sans tabou, toutes ces problématiques, car la plupart ont des relations sexuelles et sont engagés dans cette double voie, qui est de dire « après tout, tant pis, Dieu m'a fait comme cela ! » Cette attitude engendre bon nombre de névroses et de déviances, car ils se sentent écartelés entre les engagements qu'ils ont pris et leurs fantasmes d'une vie de couple. Pour cette raison, je propose un nouveau service aux congrégations, la délivrance d'une sorte de « brevet d'aptitude » à la vie religieuse, destiné aux novices et aux séminaristes. Encouragée par les maîtres et les maîtresses de formation, qui doutent parfois du bien-fondé vocationnel de certaines personnes, j'établis une évaluation sexologique des sujets en formation, complétée par une étude des contours de leur personnalité établie par une psychologue. Il nous arrive aussi de délivrer certaines recommandations. Telle novice est apte, mais doit auparavant être traitée en tant que victime d'abus ; telle autre doit d'abord arriver à faire le deuil d'un proche, etc.

En parallèle, je mets au point des programmes pilotes en éducation sexuelle destinés aux enfants, aux ados et aux adultes. J'organise des groupes de parole avec des mineurs prostitués et des femmes battues, des séances thérapeutiques individuelles ou en groupe. Ce qui m'amène à fonder, en 1991, le CEDEPSE, Centre de développement psycho-sexo-spirituel dont le travail multidisciplinaire fera l'objet de demandes partout dans le pays et à l'étranger. Pour m'épauler, un conseil d'administration et différents professionnels. Un psychiatre, dont le rôle est de prendre en charge les psychopathies les plus lourdes ; une sociologue, deux prêtres, une religieuse, et deux psychologues en charge des évaluations. Le financement des différents programmes que nous mettons en place provient du Centre canadien d'étude et de coopération internationale (CECI), de dons et de subventions locales. Ma communauté, qui couvre mes besoins personnels, me « détache », comme elle le fait habituellement pour des projets extérieurs, sur le CEDEPSE, dont l'administration est confiée à un conseil de gestion. Celui-ci gère tous les fonds reçus, ainsi que l'ensemble des charges et des dépenses. Afin de faire face à une demande croissante, le conseil d'administration emprunte 500 000 dollars à la banque pour acheter une grande maison d'accueil, qui logera le CEDEPSE. Ce centre préfigure l'IIDI (Institut international de développement intégral) qui sera créé en 2003 au Québec. Au bout de trois ans, nous remboursons toutes les dettes du centre, en partie grâce aux honoraires que je perçois – et que je reverse intégralement – en assurant de nombreuses formations et conférences dans le monde. Malheureusement, cette réussite déplaît à quelques personnes en haut lieu. Notamment à la générale de ma congrégation et une nouvelle provinciale qui, en lien avec Montréal, agit en sous-main contre moi. Elle finira par « avoir ma peau », comme on dit, et par dissoudre juridiquement le CEDEPSE.

Informé de mon travail, le Vatican s'en mêle. En octobre 1994, je dois me rendre précipitamment à Rome pour justifier le sens éthique et la crédibilité de ma démarche d'intervention. Je trouve la situation inacceptable, aberrante, mais je garde le cap. Six mois auparavant, j'ai été convoquée un samedi saint à 14 heures à l'évêché, où le cardinal de Lima me reçoit.

– Ma sœur, je viens de recevoir une lettre du Vatican disant que ce qui se passe dans votre centre CEDEPSE est très grave.

– Mais pourquoi, monseigneur ?

– Sachez que ce courrier indique que vous, religieuse missionnaire sexologue canadienne, vous faites la promotion d'une sexualité malsaine et vous êtes dans mon diocèse !

Je n'arrive pas à croire ce qu'il me révèle.

– Monseigneur, tout cela est totalement faux !

Je m'explique. Il m'entend mais conserve son inquiétude.

– Non, je ne peux rien faire. Je vous demande d'aller au Vatican dès que possible. C'est là-bas que vous avez des comptes à rendre.

Quelques mois plus tard, me voici à Rome, dans un grand salon, pour rencontrer l'évêque en charge de mon dossier, auquel je dois des éclaircissements. Au bout d'une heure d'entretien, je réussis à susciter son intérêt, puisqu'il me demande de revenir le lendemain. L'occasion est trop belle. Oubliant le protocole, je joue cartes sur table. Je lui parle de certains de mes patients, notamment des sœurs enceintes qui ont été abusées par leur directeur spirituel, des jeunes prostitués que j'aide à quitter la rue... Je lui explique les bases de ma méthode thérapeutique et je lui raconte toute mon histoire par le menu.

Un canoniste et mes autorités m'avaient demandé de me montrer très prudente et d'en dire le moins possible. Face à l'évêque, je suis intarissable. Mon interlocuteur m'écoute très attentivement et finit par me dire :

– Ce que vous m'expliquez là est passionnant. Vous devriez faire un doctorat sur votre méthode MIGS, parce que je crois que l'Église et le monde laïc en ont vraiment besoin. Agissez toujours selon votre conscience, ma sœur.

Au moment de nous quitter, il me tend une lettre, dans laquelle il me demande de poursuivre mes travaux et mes études. Ses encouragements me vont droit au cœur !

De retour au Québec – certaines autorités religieuses ne veulent plus de moi au Pérou –, je monte le programme de mon futur doctorat. Je veux travailler sur le modèle MIGS que j'ai créé, en démontrant son efficacité sur le plan théorique et clinique. Comme d'habitude, les autorités universitaires se montrent réticentes à mon égard, mais je me sens pousser des ailes, et plus rien ne peut m'arrêter. Le doctorat en sexologie n'existe dans aucune université francophone du monde. Je leur propose une solution : faire un doctorat « sur mesure ». Mes finances étant à sec, j'obtiens des prêts de l'université, que je complète par des honoraires rémunérant les séminaires que je tiens à l'étranger (j'alterne trois mois à l'extérieur, essentiellement en Europe, et trois mois au Québec). Et je mange souvent le plus commun : du pain et du *peanut butter* ! Ma congrégation n'est pas reconnue pour défrayer des études doctorales. C'est un institut essentiellement missionnaire.

Les cinq dirigeants de mon comité de thèse manifestent beaucoup d'incompréhension face au MIGS. Je dois me battre, encore et toujours, pour répondre à leurs exigences et imposer l'idée qu'un doctorat sert aussi à apporter des théories innovantes. Jamais ils n'encourageront mes recherches, et leur méfiance sera telle que ma thèse en sexologie clinique, en six volumes, devra finalement être validée en 2000 par vingt-trois examinateurs et un jury de cinq membres qui m'affirmeront : « Un record inégalé à ce jour ! »

CHAPITRE 4

Le jour où j'ai rencontré Jean-Paul II

En retrouvant sœur Angela devant la porte de bronze du Palais apostolique de Rome, j'ai le pressentiment que ce 10 octobre 1995 sera exceptionnel dans mon existence. Cette amie brésilienne m'avait demandé de l'y rejoindre en milieu de matinée, pour rencontrer des membres éminents de son Église locale, juste avant leur visite *ad limina*[1] au souverain pontife.

– Marie-Paul est missionnaire sexologue, leur dit-elle. Elle fait beaucoup de bien à la vie laïque et religieuse !

Mon CV fait son petit effet. Surpris, les évêques me regardent avec curiosité, osant des petits rires

1. Visites périodiques que rendent les évêques au Saint-Siège.

gênés avant de reprendre leur conversation. C'est à ce moment-là que j'aperçois un ecclésiastique fonçant droit sur notre groupe.

– Il est complètement fou !, me glisse-t-on à l'oreille.

Vêtu d'un long manteau noir par-dessus sa soutane, l'homme serre un sac plastique contre sa poitrine. Avec son béret de travers vissé sur le crâne, il manifeste en effet une grande agitation.

– Quelle heure est-il ? Je suis horriblement en retard à mon rendez-vous avec le Saint-Père !

Il se tourne alors vers moi :

– Tu es qui, toi ?

Sur le même ton, je lui lance :

– Je suis la fille préférée de Dieu le Père !

Il rit.

– C'est le meilleur titre pour venir au Vatican. Le pape te connaît ? Non ? Alors, viens avec moi, je te ferai passer pour ma secrétaire auprès des gardes suisses.

Il me parle en portugais et je lui réponds en espagnol.

Me voilà donc en train de suivre comme une ombre cet étrange personnage qui pénètre dans la résidence pontificale avec une incroyable assurance. J'hallucine, il est ici comme chez lui ! Au deuxième étage, nous traversons une enfilade de pièces avant d'atteindre une antichambre. Je me sens très intimidée par le faste des onze salons d'apparat, de la salle Clémentine à celle du Petit-Trône, que nous découvrons au pas de charge. Tout ce décorum impressionne la fille du Bas-Saint-Laurent que je suis. Bizarrement, je n'ai pas le cœur qui bat la chamade. Je fixe ce qui m'entoure comme s'il s'agissait d'un décor de théâtre, avec la certitude que l'entrevue va bien se passer. Après avoir retiré son manteau et son chapeau, Angelo Maria Rivato sort de son sac plastique une calotte et une ceinture violettes.

Je découvre alors que ce fou que je ne quitte pas d'une semelle est en réalité un évêque… Au moment de pénétrer dans la salle d'audience où le Saint-Père reçoit ses visiteurs *ad limina*, il m'agrippe le bras.

– Je ne connais pas ton nom… Que vais-je dire à Sa Sainteté ? Qui es-tu ? D'où viens-tu ?

J'ai à peine le temps de répondre à celui qui m'a fait confiance sur ma bonne mine, qu'il doit se présenter à l'appel.

– Tu m'accompagnes !

Le dignitaire brésilien salue cérémonieusement Jean-Paul II :

– Très Saint-Père, je vous laisse avec cette sœur

qui a des choses importantes à vous dire. Pour moi, tout va bien.

Et il disparaît, me laissant seule durant quinze minutes avec le pape. Celui-ci s'adresse à moi en portugais. Je choisis de m'exprimer en espagnol.

– Quelle joie, Votre Sainteté, de pouvoir vous saluer.

– Travaillez-vous au Brésil ?

– Non, Très Saint-Père, je travaille au Pérou, mais je suis canadienne du Québec.

– Que faites-vous précisément ?

Je lui présente brièvement mon parcours spirituel et universitaire, ainsi que ma nouvelle méthode thérapeutique. J'insiste sur le fait que les jeux amoureux des sœurs et des prêtres ont souvent des conséquences dramatiques ; que les abus sexuels commis par des ecclésiastiques me préoccupent beaucoup... Contrairement aux évêques croisés ce matin-là, Jean-Paul II ne semble pas surpris par mon profil professionnel. Au contraire. Je lui précise avoir eu en thérapie des prêtres pédophiles et des victimes de leurs actes. Je lui fais part également de mes relations orageuses avec ma hiérarchie.

Me regardant fixement dans les yeux, le Saint-Père m'écoute avec beaucoup d'attention, hochant la tête et murmurant : « Oui, oui, oui. » À la fin de l'entretien, que nous avons passé tous les deux debout, il met ses mains sur mon front.

– Va de l'avant ! Les difficultés ne manqueront pas, surtout de la part de l'Église !

J'ai vécu cette rencontre comme un signe du Ciel m'indiquant que j'étais sur le bon chemin. À force d'avoir les autorités religieuses contre moi, il m'arrivait d'avoir des doutes. Comme par miracle, ils se sont brusquement envolés !

Le lendemain, je suis conviée à une messe papale privée. Un immense privilège, car il faut habituellement attendre plusieurs mois avant d'obtenir cet honneur. Ce jour-là, le pape officie en anglais pour un petit groupe de prêtres venus de Grande-Bretagne. Après l'office, les gardes nous conduisent dans une grande salle où le Saint-Père vient saluer l'assistance. Je me suis placée au bout du demi-cercle que nous formons tous ensemble. Lorsque arrive mon tour, le pape s'approche de moi, me tire par la manche et me demande :

– Est-ce qu'il vous arrive de traiter des homosexuels ?

Il me donne l'impression de prolonger notre rencontre de la veille et d'avoir réfléchi à certains sujets évoqués. Je lui réponds par l'affirmative.

– Que pensez-vous de l'homosexualité ? insiste-t-il.

– Très Saint-Père, l'orientation sexuelle des personnes se forge entre trois et sept ans, qu'elles soient hétéro ou homosexuelles. Mon rôle de sexologue est d'aider chacun à vivre selon son orientation sexuelle véritable. Plus une personne pratique une sexualité qui ne lui correspond pas, moins elle vit une sexualité satisfaisante, moins elle est épanouie.

Il me prend alors la main, et m'encourage comme la veille à poursuivre mes recherches.

Par la suite, j'ai retrouvé dans un de ses écrits son souhait de voir l'Église témoigner du respect à l'égard des homosexuels. Malheureusement, ce n'est plus le cas aujourd'hui. Je déplore profondément le discours homophobe de certains représentants de la hiérarchie ecclésiastique. C'est inacceptable et très nuisible aux personnes en quête de spiritualité.

Deuxième partie

UNE APPROCHE GLOBALE DE LA SEXUALITÉ

CHAPITRE 5

Le MIGS, un outil au service de mes patients

Ma rencontre avec Jean-Paul II, pour qui j'ai la plus profonde admiration, a été la petite allumette qui a enflammé ma vie. Les encouragements du Saint-Père ont été pour moi un catalyseur. Avec son *imprimatur*, je suis allée jusqu'au bout de ma démarche scientifique et médicale en créant un institut à Québec.

Pour des raisons tant culturelles que médicales et scientifiques, je n'ai jamais adhéré aux psychanalyses sur le divan, qui peuvent se prolonger pendant de longues années. J'estime, en effet, qu'elles instaurent une dépendance affective entre le patient et son thérapeute grandement dommageable et malsaine.

Dans l'institut que je dirige, nous avons mis au point une méthode de soins, le Modèle d'intervention globale en sexologie (MIGS). Il s'agit d'un mélange entre mes connaissances théoriques acquises en doctorat de sexologie clinique et mon expérience empirique auprès des personnes souffrantes que j'ai croisées tout au long de mes différentes missions. La genèse du MIGS, qui illustre clairement l'esprit de cette agrégation entre la théorie et la pratique, remonte à un terrible voyage en avion au Pérou en 1991. Je devais me rendre dans un petit village péruvien près d'Ayacucho, un foyer terroriste que personne n'osait plus approcher, tant les morts s'entassaient dans cet endroit où la violence clanique et politique avait pris le pas sur tout le reste. Bien qu'on me l'ait plusieurs fois vivement déconseillé, j'avais quand même décidé d'y aller. Après une dernière escale à Cuzco – tous les passagers étaient descendus – nous n'étions plus que deux personnes encore assises dans l'avion, un homme et moi. L'hôtesse nous a lancé, avec un regard implorant et sans illusion, un « Soyez très prudents, revenez vivants ! » pas rassurant du tout. Puis, nous avons redécollé, et le commandant de bord nous a annoncé un voyage vers l'enfer et la terreur. J'ai alors été prise d'une attaque de panique. Pourquoi allais-je risquer ma vie là-bas ? Cette fois, j'en étais convaincue, je dépassais les limites et j'allais certainement le regretter. J'ai commencé à sentir la peur qui me serrait la gorge et transformait mes jambes en coton. J'étais terrorisée. La tête me tournait, je pensais que j'allais m'évanouir et que j'allais mourir là, sur place, dans cet avion qui m'emmenait vers la mort. J'ai essayé de respirer plus profondément, mais cela n'a pas suffi. Le grand manège continuait dans ma tête dès que je fermais les yeux. Mon cœur s'emballait et il battait à tout rompre dans ma poitrine, prêt à exploser. La panique s'emparait de moi. Machinalement, je me suis mise à taper des pieds avec mes talons en alternant le côté droit et le côté gauche. Puis, j'ai abaissé ma tablette et j'ai commencé à taper de la même façon avec les doigts de ma main, tout en inspirant et en expirant calmement et profondément. J'inspirais la vie et j'expirais la peur. Assez vite, j'ai senti une harmonie envahir tout mon corps, et peu à peu je me suis calmée et détendue. J'étais à nouveau maîtresse de mes émotions, bien en vie et en pleine possession de mes moyens. Je venais, sans le savoir, de tester la bilatéralité alternée et la respiration thérapeutique qui sont ensuite devenues la base de mon approche de soins. Après cette expérience, j'ai développé cette méthode en m'appuyant sur des théories neuroscientifiques qui confirmaient que la bilatéralité des mouvements permettait, en stimulant les deux hémisphères du cerveau, de retrouver du calme et de la sérénité.

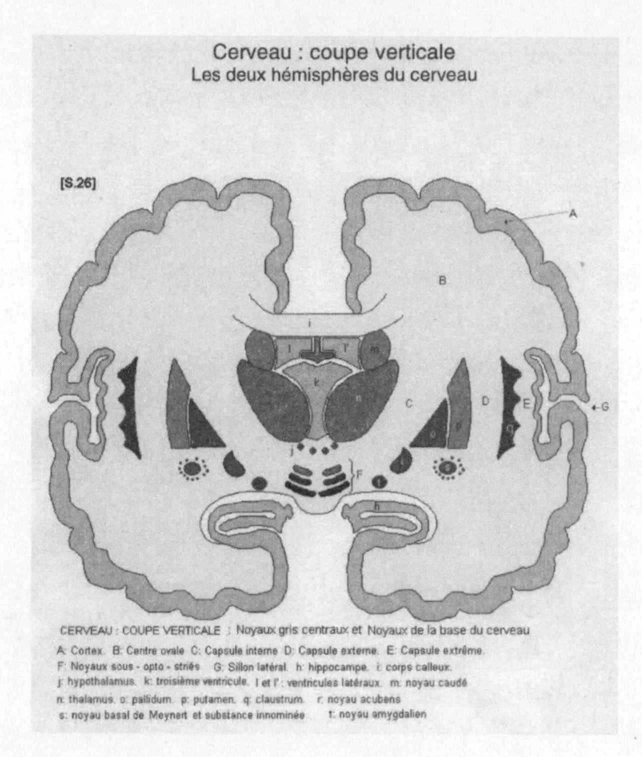

J'ai essayé de mettre à la disposition des patients et des thérapeutes des outils simples et accessibles dont les effets se font ressentir rapidement. C'est aujourd'hui le fondement de ma pratique, dont la philosophie repose sur l'autothérapie. Évidemment, il ne s'agit pas de se soigner entièrement seul. Loin de moi cette idée saugrenue.

De la même manière, bien que s'adressant au plus grand nombre, ma méthode ne prétend pas se substituer aux psychiatres dans les cas de pathologies lourdes, telles que les psychoses, les troubles bipolaires ou la schizophrénie, par exemple. Il s'agit de maladies que je sais ne pas pouvoir soigner seule sans l'aide de la médecine classique. Le MIGS, dans ces cas-là, est une méthode qui accompagne les traitements de la médecine traditionnelle.

Après avoir identifié avec l'aide des patients leurs blocages et leurs traumatismes, je mets à leur disposition une « boîte à outils », dont ils vont se servir pour surmonter leurs dépressions, leurs handicaps ou leurs difficultés dans la vie quotidienne. Développer leur potentiel de résilience, cette capacité à s'extraire de situations douloureuses pour ne plus rester prisonnier d'émotions négatives, constitue l'architecture même du MIGS, qui s'adresse aussi bien aux jeunes enfants qu'aux grands accidentés de la vie. Si je n'avais qu'un message à délivrer, ce serait celui-là : « Traite ta peine ! »

Se libérer, progresser, passe par une discipline au quotidien, ainsi que par le respect des indications thérapeutiques données à l'institut. Toutefois, on ne peut compter obtenir de bons résultats sans une participation active du patient. S'il n'y met pas du sien, s'il ne s'approprie pas librement un certain nombre de techniques qu'on lui propose, toute tentative de cure conduira à l'échec.

Comme préalable, la méthode MIGS établit le constat selon lequel les tensions et les blocages psychologiques passent par le corps. Celui-ci est en quelque sorte le « témoin » de nos traumatismes, car il garde les stigmates de nos blessures comme de nos moments de bonheur. Il est à la fois le réceptacle de notre conscience et le reflet de notre inconscient. Pour cette raison, le thérapeute MIGS doit traiter la personne dans sa globalité, en tenant compte de ses paramètres affectifs, érotiques et corporels. Les premières séances sont souvent des moments de « déverrouillage » assez particuliers. Quelle que soit la pathologie du patient, je commence toujours par enclencher un travail fondé sur la bilatéralité. Ces mouvements peuvent être réalisés par le soignant, notamment lorsqu'il s'agit de jeunes enfants. La technique, largement éprouvée, permet, en stimulant les deux hémisphères du cerveau (droite et gauche), de débloquer des émotions. Après quelques rendez-vous, le patient peut déjà se reconnecter à des souvenirs enfouis et inconscients et enfin les traiter.

Nous passons ensuite à ce que j'appelle la « respiration thérapeutique ». En se concentrant, le sujet expire ses souffrances et inspire des images et des idées positives. Je conseille vivement d'accompagner cette technique d'une « marche thérapeutique », afin de débloquer plus facilement le mental, grâce à la libération des énergies corporelles. Elle s'effectue par périodes de trente à quarante-cinq minutes, au cours desquelles le marcheur fixe l'horizon, de préférence dans un environnement dégagé et agréable. Grâce à un mouvement de balancier avec ses bras, qui va l'aider à accomplir sa bilatéralité alternée, il va expulser, en expirant, les angoisses sur lesquelles il a travaillé auparavant. Une autre technique très efficace : le EMDR[1] (*eye movement desensitization and reprocessing*, « désensibilisation et retraitement [de l'information] par le mouvement des yeux » de la docteure Francine Shapiro), une approche de stimulation bilatérale alternée par des mouvements oculaires, qui agit également sur des informations douloureuses verrouillées dans le cortex. Introduite en France par David Servan-Schreiber, avec lequel j'ai eu quelques sessions de formation, cette méthode doit nécessairement être exercée par un thérapeute certifié. Selon moi, c'est la clé d'une thérapie réussie, puisqu'elle permet de remonter à des événements occultés très anciens.

À l'institut, en raison de mon approche globale, je ne suis jamais l'unique praticienne à traiter un patient. Pour optimiser les séances et libérer efficacement les tensions, je fais également appel à une massothérapeute professionnelle, qui utilise différentes techniques de massage et de digipuncture.

1. Son efficacité a été reconnue par l'INSERM en 2004.

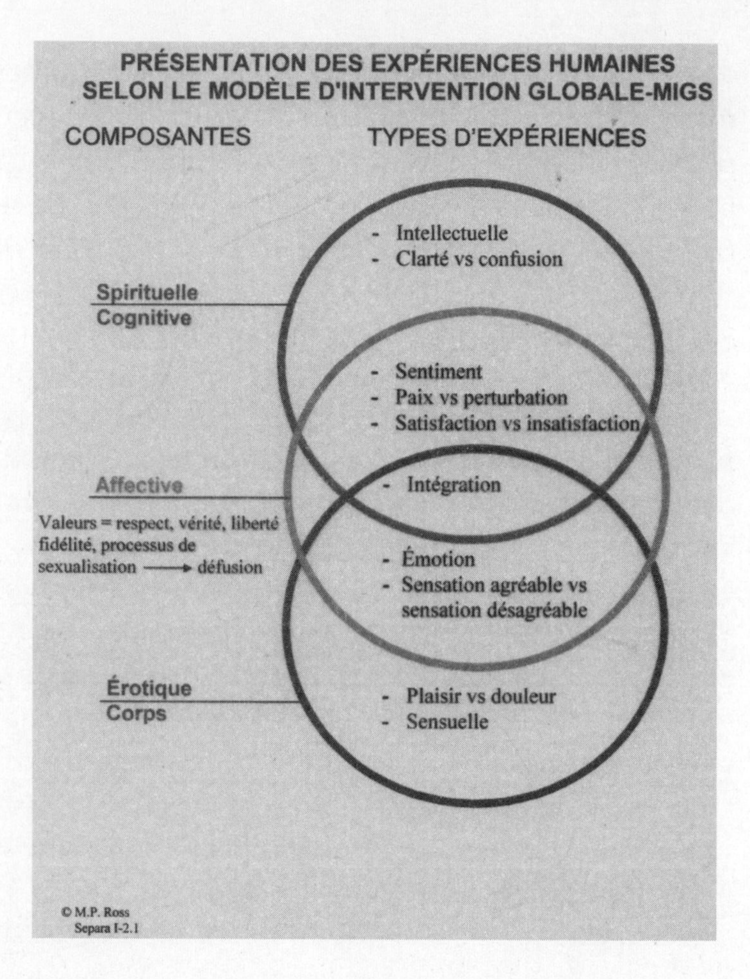

Tous ces outils mis en place sont une aide très profitable au « lâcher prise », une étape essentielle vers la guérison et le mieux-être. À chaque patient de continuer par la suite à les exploiter, en mettant en pratique tout ce que nous avons initié ensemble. C'est à cette condition qu'il pourra rebondir et aller de l'avant. Ces exercices thérapeutiques assidus permettent, grâce à la malléabilité du cerveau, de récupérer son bien-être et même de reconstruire des pertes cérébrales. Pour autant, aucune méthode thérapeutique n'accomplit de miracles. La mienne connaît de formidables succès, mais peut rencontrer des points de résistance insurmontables.

La Sexoanalyse

En sexologie, nous utilisons beaucoup la Sexoanalyse. Il s'agit d'une approche inventée par le docteur Claude Crépault, un sexologue québécois, au cours des années quatre-vingt. Elle a pour but de découvrir les conflits sexuels et les anxiétés inconscientes dont le trouble sexuel est porteur. Elle est aujourd'hui enseignée en mastère dans les formations de sexologie clinique. Elle étudie l'inconscient sexuel et ses manifestations, par le biais d'une théorie du développement psychosexuel. Selon Claude Crépault, le programme de base du développement sexuel de l'individu est féminin. On parle d'une féminité primaire, d'une protoféminité commune aux deux sexes. La masculinité n'est alors qu'une construction secondaire. À leur naissance, les enfants sont dans un état de fusion avec la mère et ils ont de ce fait une conscience féminine qui dure jusqu'à l'âge de deux ans. Ensuite, le rôle du père devient essentiel pour aider les enfants à se « défusionner » d'avec la mère, et ainsi à s'individualiser. Qu'il s'agisse d'un petit garçon ou d'une petite fille, cette étape d'individualisation est essentielle pour leur développement à venir. S'ils échouent à ce stade, si le père n'est pas assez présent et pas suffisamment valorisé, ils pourront rester dans un état de fusion avec la mère (ou ses symboles) qui leur sera ensuite préjudiciable. Le traitement s'impose. L'enfant doit apprendre l'individualisation en traitant sa symbiose primaire. À défaut de cet apprentissage, les femmes manifesteront des angoisses de féminité et les hommes des angoisses de masculinisation qui se répercuteront dans leur comportement d'adulte. Ils pourront développer des angoisses existentielles qui se traduiront par différents troubles de la personnalité. Car en Sexoanalyse comme en sexologie, l'état de fusion avec la mère ne doit être que transitoire si on veut ensuite que la personne puisse mener une vie d'adulte équilibré.

Chapitre 6

Érotisme et pornographie

Aujourd'hui, on ne peut pas évoquer la sexualité sans parler de la pornographie. Malheureusement, pour beaucoup, les deux sont intimement liées. Dès qu'on prononce le mot sexe, apparaissent dans l'inconscient populaire des images associées aux films X. En consultation et en thérapie, on constate chaque jour que le porno est en train de devenir la norme. Il est partout. Il est accessible par les scènes de X bien sûr, qui sont diffusées et peuvent être consultées par tout le monde de plus en plus facilement sur Internet. Mais c'est aussi devenu un argument de vente qu'on exploite de multiples façons. Dans les campagnes publicitaires, pour vendre des produits aussi variés que des aspirateurs ou des voitures, on se sert d'éléments pornographiques pour toucher le chaland. Le sexe est en effet le vecteur le plus connu de viralité[1] et de diffusion massive. Si l'on veut qu'une publicité marque l'esprit du public, on y ajoute des éléments très suggestifs tels que la domination, la violence, l'humiliation par des gestes ou simplement par le regard. Les postures sont souvent, ou presque toujours, celles des jambes ouvertes, des reins cambrés, des fesses offertes, des bras relevés, etc. La femme est passive, c'est un objet disponible et consommable immédiatement. Ainsi, une publicité pour une célèbre marque de glaces représente une femme en train de déguster de manière suggestive un Esquimau, allongée dans une position indolente sur un lit. Elle se met à rêver et s'imagine alors commencer à abuser d'un chanteur célèbre endormi nu dans un lit. Elle relève le drap jusqu'à son sexe et se réveille. Dans cette publicité diffusée au grand public sont utilisés beaucoup des codes pornographiques.

On retrouve également cet esprit très provoquant et très marqué dans les photos qui s'étalent à longueur de pages dans les magazines de mode, avec des poses souvent sans équivoque. Regards torrides, postures alanguies et femmes offertes sont le lot quotidien de tous ces magazines. Le porno chic, qui a été inventé et mis à l'honneur par des revues spécialisées très en vogue, est aujourd'hui devenu

1. Transmission d'un message d'un individu à un autre.

la norme dans le domaine de la mode qu'on exhibe aux femmes dès leur plus jeune âge. De nombreuses starlettes en devenir étalent leur vie dans sa moindre intimité pour faire parler d'elles. Tout ce climat fait qu'aujourd'hui le X sous toutes ses formes a envahi des pans entiers de la société. Cette omniprésence de la pornographie déforme le cerveau en général, et l'approche sexuelle en particulier. Elle formate les cerveaux des plus jeunes d'une manière très destructrice. Une fois qu'ils ont de telles images pornographiques en tête, ils sont marqués pour longtemps et cela représente un grand danger pour l'évolution de leur sexualité. Car là où il y a de la pornographie, il n'y a hélas plus d'érotisme.

Comment peut-on distinguer ces deux notions qui semblent si proches ? Comment définir les limites entre les deux dans un couple ? La tâche est ardue, tant la confusion s'est insinuée dans les esprits. Or l'amalgame entre ces deux concepts se fait toujours au détriment de l'érotisme. Il est donc essentiel de bien différencier ces notions, ce que je tente de faire dans l'élaboration de mes thérapies.

L'érotisme est naturel et spontané. Il s'inscrit dans la beauté et le partage. C'est la sublimation du corps, on aime son corps, et celui de l'autre. Il est indispensable pour la plénitude des couples. Toutes les positions, les caresses, sont les bienvenues du moment qu'elles inspirent l'émerveillement et sont consciemment acceptées par chacun des deux partenaires. Contrairement à ce que certains peuvent penser, ce n'est pas une répression des pulsions ni des envies sexuelles, mais leur encouragement dans le respect de l'autre et de son propre corps. De ses envies et des envies de l'autre. Il n'y a pas de violence, ni de domination, ni d'humiliation. Il y a du plaisir, et c'est beau ! Il contribue à nous faire prendre conscience de toutes les joies de la sexualité et permet d'équilibrer la fréquence des rapports physiques. Ainsi, on ne sombrera pas dans de la compulsion sexuelle. Il y aura des phases de fantasme, de désir, mais tout cela restera dans la norme humaine.

Dans la pornographie, les relations sont violentes, ritualisées et parfois sacrificielles, avec des passages obligés, souvent très dégradants pour les femmes. Elles reposent essentiellement sur le non-affect. Rappelons que l'affect, qui correspond à la zone affective (système limbique) de notre cerveau, est indispensable au maintien de l'équilibre humain. Il permet de juger ce qui est bon pour soi et ce qui ne l'est pas. Comme pour l'autre, d'ailleurs. Il est le fondement de notre morale humaine. L'ignorer peut nous faire sombrer très vite vers toutes sortes de déviances... Dans la pornographie, il y a une ritualisation qui ne tient pas compte de la personne qu'on a en face de soi. Son partenaire n'existe plus en tant que tel, mais uniquement pour ce qu'il représente. On doit souvent, par exemple, utiliser la partenaire par tous les orifices. On doit dominer et on doit posséder. Si toutes ces conditions ne sont pas immédiatement réunies, on estime la relation sexuelle ratée. On nie l'existence de l'autre pour n'écouter que ses pulsions. En cela, la pornographie se situe à l'opposé du sentiment amoureux et de l'art sexuel. Dans cette déviance, il faut distinguer trois messages différents qui peuvent parfois se combiner.

1. La possession : qu'elle s'inscrive dans une relation hétérosexuelle ou bien homosexuelle, elle se manifeste d'une façon souvent très physique, voire violente.

2. La domination : elle est souvent flagrante dans les films pornographiques et sous-entendue dans certaines publicités. Elle peut très vite verser dans le sadomasochisme, une pratique en plein développement aujourd'hui, devenant même un passage obligé dans de nombreuses relations sexuelles, notamment celle des plus jeunes qui s'initient à la sexualité sur Internet.

3. La maltraitance enfin, omniprésente dans les scènes de X (supplices, coups, sévices). Elle dégrade l'image générale des rapports humains. Elle est synonyme de pornographie, même dans les couples

qui considèrent ce rapport inhérent à leur histoire. C'est par essence une pratique perverse.

Le problème pour les thérapeutes est que lorsqu'il y a des déviances, le plaisir de l'orgasme est particulièrement intense. Alors qu'on peut échelonner l'intensité de l'orgasme entre une et cinq étoiles dans le cadre de rapports sexuels normaux pour un couple dans lequel l'érotisme prime, on passe de six à dix étoiles, dès lors que les partenaires s'adonnent à des pratiques perverses et déviantes. La différence est la même, toutes proportions gardées, qu'entre un verre de vin et un shoot d'héroïne. Le premier est raisonnable et très agréable, le second peut sembler sublime sur le moment, mais il sera destructeur et entraînera très vite une dépendance. D'où la grande complexité à soigner les dépendances à la pornographie. L'explication de cette différence de niveaux de plaisirs ressentis tient à la sensibilité affective qu'on met dans ses rapports sexuels.

Sans affect, on va passer directement de la zone diencéphale (sensorielle) du cerveau jusqu'au cortex (la raison), pour nous guider et aller directement vers la déviance.

Plus on est dans la domination, l'humiliation du corps de l'autre, plus les sensations sont fortes. Ça suppose qu'il n'y a plus de message affectif. L'affect est là pour maintenir une sensibilité humaine, une

Cortex cérébral – coupe sagittale

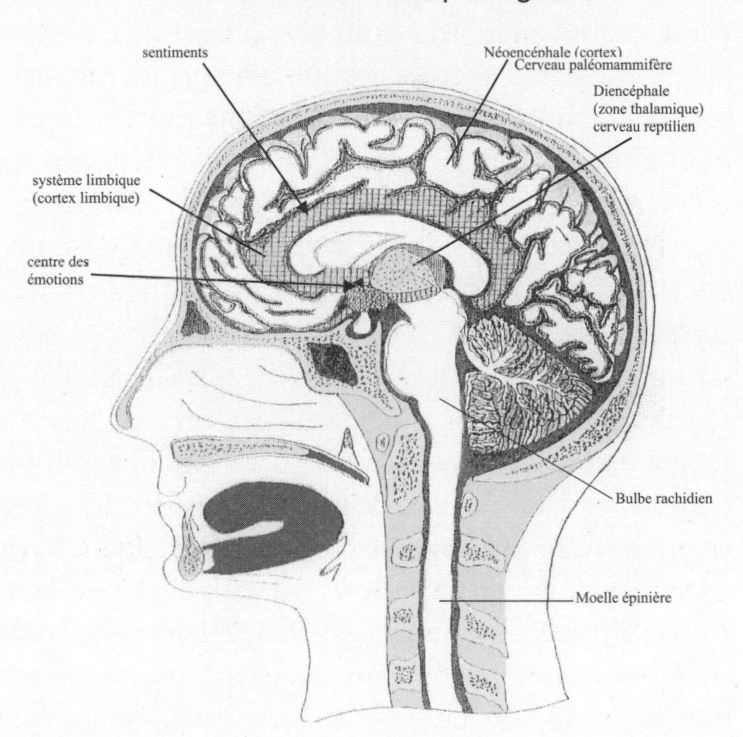

lucidité. Pour être plus claire, prenons cette image : vous êtes en promenade et vous ne retrouvez plus votre chemin. Vous pouvez vous mentir et dire : « Non je ne suis pas perdu. » À s'entêter ainsi, on peut se perdre vraiment. Alors que le fait d'admettre qu'on est perdu engendre une certaine inquiétude, certes, mais une partie de soi saura retrouver sa voie. C'est la même chose en sexualité. Quand les gens dévient de ce qui se fait normalement, ils se persuadent qu'il n'y a que le plaisir qui compte. C'est ce qui crée les addictions, le plaisir intense est accrocheur. Il arrive que parfois des couples viennent me voir car, à un moment donné, le désir a disparu de leur histoire. En résumé, l'un des membres n'éprouve plus de désir ni d'envie pour l'autre. Ce rejet est, hélas, souvent provoqué par les effets pervers de la pornographie. Comme le montre ce qui suit.

Exemple 1 :

J'ai eu parmi mes patients un couple d'une cinquantaine d'années. L'homme n'arrivait plus à avoir la moindre relation sexuelle avec sa femme. Il vivait très mal cette situation. Il se culpabilisait beaucoup. Son image de mâle était dégradée, il en souffrait énormément. Je me suis vite rendu compte que le problème ne venait pas de lui, mais de sa femme, dont la seule et unique source d'excitation était le visionnage de films X. Cette situation tétanisait son mari, qui ne tolérait pas ces représentations malsaines, d'où son impuissance. Choqué, il ne supportait plus de toucher sa compagne. Et plus il avait des réticences à avoir des rapports intimes avec sa femme, plus elle se tournait vers le porno pour compenser. C'était devenu un cercle vicieux. Lors de la thérapie, elle m'a affirmé devant son mari que ces films l'excitaient plus que son époux. En me disant ça, elle lui décochait des flèches en plein cœur. C'était dégradant pour lui. Mortel. Il détestait la pornographie, qu'il jugeait humiliante et violente.

J'ai expliqué à la femme le processus dans lequel elle s'était installée en visionnant ces images. Pour ne pas être freinée dans ses pulsions, elle mettait naturellement son affect de côté et demandait à son mari de faire la même chose, pour être en phase et s'éclater ensemble. Enfin. Petite parenthèse, le problème auquel était confronté ce couple est aujourd'hui courant. Contrairement à une idée répandue, la consommation de pornographie se fait autant à l'initiative de la femme qu'à celle de l'homme. Un grand nombre de femmes ne se respectent plus et ne se font plus respecter. Elles apprennent à se stimuler avec des pratiques qui ne leur sont pas adaptées... Au lieu de rester dans leur dimension intégrative (elles ne peuvent pas être excitées sans au moins un petit peu d'amour), les femmes apprennent à s'exciter sans amour en domptant leur corps. La femme a pris l'homme pour modèle. Ce dernier est désemparé, parce qu'il a l'impression que la femme, la vraie, a disparu. L'homme est perdu.

Mais revenons à notre couple.

En thérapie, on a aidé le mari à reprendre confiance en lui. Il se sentait comme un gadget, complètement dévalorisé. Pour la femme, cela a été plus complexe. On a dû en effet traiter son addiction à la pornographie. Lui « dépornographiser » le cerveau. Pour y parvenir, il a fallu qu'elle se rende compte à quel point ce dernier était pollué par les schémas pornographiques. Elle n'était plus capable d'envisager la moindre relation sans sombrer dans des rapports dominant-dominé. Le processus pour en sortir est similaire à celui d'une cure de désintoxication d'alcool ou de drogue. La thérapie lui a fait prendre conscience que tout ce qu'elle appréciait et tout ce qui l'excitait dans ces images allait entièrement à l'encontre de ses principes et valeurs dans la vie. Il a fallu réussir à réintroduire de l'érotisme dans leur couple, donc du respect et de l'écoute. Et surtout remettre de l'affect dans leur relation.

Programme de dépornographisation du cerveau

En constatant tous les dégâts de la pornographie, j'ai mis en place dans mon institut un programme de dépornographisation du cerveau. Le terme peut paraître un peu barbare, mais il s'agit en fait d'une thérapie pour lutter contre une addiction préjudiciable à la vie des couples et au développement psychique des jeunes. Il est suivi aussi bien par des couples que par d'anciennes actrices de films X qui viennent « reformater » leur cerveau. Ce programme n'est ni moralisateur ni religieux. Les difficultés majeures au cours de ces cures résident dans le fait que les personnes totalement dépendantes à la pornographie sont incapables d'avoir la moindre vision érotique et qu'elles sont bloquées dans leurs fantasmes pervers. L'une des tâches principales est d'aider les patients à réintroduire de l'érotisme dans leur parcours. On peut s'appuyer sur des outils « thérapeutiques », comme de belles photos érotiques. Des personnes ajoutent des accessoires, selon leur intérêt, pourvu que le but ne vise pas à humilier l'autre. Attention ! Tout objet utilisé pour exciter sexuellement ne doit jamais être considéré comme plus performant que le ou la partenaire.

Pour mener à bien cette thérapie, je constitue des fiches en demandant au patient de noter les images érotiques du côté droit et les pornographiques du côté gauche. On procède de cette façon afin qu'il soit capable de visualiser concrètement les différences entre les deux. On applique aussi la respiration thérapeutique, c'est-à-dire qu'il se représente son cerveau pornographisé, et il l'expire. Ensuite, il visualise des images érotiques qu'il inspire. On répète cette méthode plusieurs fois de suite. Le but est de démontrer au patient que tout son être conscient est opposé à ses pratiques sexuelles. Comment a-t-il pu supporter dans sa sexualité, qui est un domaine si intime, tout ce qu'il rejette dans sa vie quotidienne ? Il faut travailler dans ce sens bien précis. Il doit visualiser le corps humain dans sa beauté et s'émerveiller. Alors, d'elle-même, la personne découvre que le porno n'a pas de sens dans son existence. À la fin du traitement, s'il est bien mené, elle ressentira du dégoût pour son cerveau pornographisé. C'est l'objectif de cette thérapie.

Exemple 2 :

J'ai soigné un jeune artiste de vingt-deux ans, compagnon d'un homme d'une soixantaine d'années. Depuis ses onze ans, il regardait des films pornographiques et s'en nourrissait dans ses rêves et ses fantasmes. Devenu adulte, il a été incapable d'avoir une relation sexuelle avec une femme. Dès qu'il se retrouvait dans une situation intime avec une partenaire, il était totalement tétanisé. Lui venaient immédiatement à l'esprit des scènes de X. Il se sentait obligé de les reproduire, prisonnier de la performance physique. En réaction, il est devenu adepte de pratiques homosexuelles très *hard*, tout en continuant à consommer de la pornographie hétérosexuelle.

La dépornographisation de son cerveau a nécessité trois séances. Quand nous avons débuté la thérapie, il m'a raconté ses cauchemars. Ils étaient terribles et angoissants. Il rêvait que des vers grouillaient dans son cerveau, ou bien il était utilisé comme jouet sexuel. Mon but était de lui démontrer que son cerveau n'était pas totalement vampirisé par le X et que ces images violentes l'empêchaient d'avoir des relations normales avec les femmes – comme avec les hommes, d'ailleurs. Au cours des séances, il m'a avoué « sentir des scènes pornos collées dans son cerveau ». Il voulait le décaper. Je lui ai dit de visualiser trois fois par jour le corps d'une femme nue, dans un rayon de lumière avec du bleu. Il devait inspirer la capacité qu'il avait d'aimer la beauté du corps de la femme et expirer les images pornos qui lui venaient à l'esprit au même moment. Il devait répéter l'exercice jusqu'à se sentir en harmonie avec l'image. Et il a commencé à avoir des rêves érotiques. Il allait mieux.

Le sexe et Internet

On trouve de tout sur Internet, du meilleur au pire. C'est la même chose avec le sexe. Sur la Toile, on peut dénicher quelques sites intéressants qui expliquent la sexualité aux adolescents, mais on découvre surtout des millions d'images pornographiques à longueur de pages en accès gratuit et illimité. Le Net est aujourd'hui le plus grand repaire de X gratuit disponible. Pour la majeure partie des recherches effectuées sur les moteurs spécialisés, on tombe très vite sur des images à caractère pornographique.

Le Net serait-il devenu l'ennemi d'une sexualité épanouie ? Sur la Toile, le sexe est associé à la pornographie et à rien d'autre. Internet nous incite à devenir des consommateurs compulsifs. Incontrôlables. L'image de la femme est la plupart du temps celle d'un objet qui se donne très facilement. Le principal danger de ce mode de consommation concerne évidemment les plus jeunes. Dans ce domaine, comme dans tant d'autres qui concernent la sexologie, la première des choses à faire est la prévention. Par des stages dans les classes, il faut expliquer aux plus jeunes comment se servir d'Internet sans que cela leur soit préjudiciable par la suite. Le problème des intervenants est que, malgré toutes les mises en garde et tous les contrôles parentaux, les enfants réussissent assez facilement à accéder à des pages pornographiques, parfois sans le vouloir. Quand on sait que quelques secondes passées devant une photo choquante suffisent à marquer profondément l'esprit d'un enfant, on mesure à quel point la tâche de prévention et de protection est ardue. L'un des impératifs pour les parents et pour tous ceux qui s'occupent d'enfants est de ne jamais les laisser seuls devant Internet, quel que soit le motif, même légitime, invoqué par l'enfant.

Toutes les recherches, y compris l'éventuelle consultation des e-mails, doivent être encadrées par des adultes. Cela ne signifie pas seulement se trouver dans la même pièce que l'enfant ; l'adulte doit procéder lui-même aux recherches avec l'enfant. C'est impératif, et c'est à cette seule condition qu'on pourra éviter aux très jeunes des traumatismes liés à l'utilisation d'Internet. Pour les plus âgés, les préados et les ados, la surveillance ne peut pas être aussi drastique. Ils ont souvent un ordinateur dans leur chambre et les contrôles deviennent beaucoup plus difficiles. Quand ils se retrouvent ensemble chez les uns ou chez les autres, ils trouvent souvent l'occasion de tromper la vigilance de leurs parents. Ils sont tellement tentés d'aller voir ce qui se passe sur le Net qu'ils trouveront toutes les excuses du monde pour accéder à un ordinateur qui ne soit pas protégé par le contrôle parental. Il est d'autant plus compliqué pour les parents de limiter l'accès à la Toile, qu'aujourd'hui tout est prétexte à une recherche sur Internet. Dans les familles, même les grands-parents communiquent avec leurs petits-enfants par mails ou par le biais de réseaux sociaux tels que Facebook ou Twitter. Tout incite les plus jeunes à apprendre à se servir du Net avant même de savoir lire et écrire. Il est donc absolument impératif de les mettre en garde en faisant de la prévention sur les méfaits de la pornographie sur Internet, ainsi que sur son caractère irréaliste dans la vraie vie. Il faut bien expliquer aux adolescents que les relations amoureuses ne doivent pas se dérouler telles qu'elles sont présentées sur la Toile et qu'imiter ce type de comportement concernant la sexualité ira à l'encontre de leur bonheur et de leur intérêt. Dans ce domaine, plus que dans tous les autres, l'habileté à la critique, la prévention et les explications sont essentielles.

Il faut vraiment garder à l'esprit que la moindre petite seconde passée devant des images pornographiques marque un enfant pour longtemps. Je reçois de plus en plus souvent des familles dysfonctionnelles, dans lesquelles les petits reproduisent des positions sexuelles uniquement parce qu'ils les ont vues, même une seule fois, sur le Net. Même si la Toile est synonyme de liberté, les gamins ne sont pas capables de la maîtriser et d'en faire un bon usage. Il faut leur apprendre ce que signifie le mot « intimité ». Et les amener à se poser certaines questions : quelles sont les conditions pour se donner à quelqu'un ? Peut-on avoir un rapport avec plusieurs personnes ? Avec quelqu'un qu'on ne connaît pas ? Une bonne sexualité, saine et épanouissante, passe toujours par un apprentissage qu'Internet ne permet pas. Le Net n'explique rien sur la sexualité. La plupart des images qui y circulent donnent au contraire une vision complètement déformée de la réalité.

Cela crée des êtres dissociés, en conflit entre leurs différentes personnalités. Car si les ados n'ont pas été éduqués avec des valeurs ou des convictions bien précises, ils vont sombrer dans de nombreux pièges. En gros, si on leur offre deux substances : l'une brûle, l'autre nourrit, laquelle vont-ils choisir ? Ils seront tentés d'aller vers celle qui les brûle. Elle est plus excitante et plus attirante aussi. Sur le plan affectif, c'est la même chose. Il y a des expériences qui vont blesser, d'autres brûler, et d'autres enfin épanouir. Mais les jeunes ont appris à se ficher de l'affect. Ils ne savent pas trop ce qu'est l'amour – le vrai. Ils séparent trop souvent le cœur et le sexe.

L'ado doit savoir que deux êtres humains qui ont une sexualité active peuvent connaître une gamme variée de plaisirs sexuels. Il faut accepter que dans l'échange amoureux, on donne et on accueille en laissant l'érotisme jouer à sa fantaisie sans avoir besoin de fouet ou de piercing. Pas besoin non plus de forcer le, ou la partenaire à certaines pratiques. Je le répète, la norme humaine se fonde sur le respect. L'ado doit savoir l'effet que les sensations fortes font à son affect et à son corps. C'est déviant, ça le détruit très vite en l'empêchant d'avoir ensuite une sexualité épanouie, les moyens d'avoir une sexualité normale et de bien gérer ses émotions quand il tombe amoureux. Aujourd'hui, alors que tout se libéralise sur la Toile en devenant facilement accessible au plus grand nombre, la prévention passe de plus en plus par des cours d'éducation sexuelle. Cet apprentissage doit être remis au goût du jour, en étant d'abord expliqué aux enseignants et aux parents, qui le transmettront ensuite aux enfants. Je donne régulièrement dans mon institut des cours sur la sexualité dans le couple, et je me rends compte à quel point les gens sont perdus et à quel point les parents sont souvent dans la détresse face à leurs enfants et à tout ce qu'ils peuvent trouver sur Internet. Pour remédier à ce désordre social et dans un but préventif, il est essentiel de former des éducateurs compétents afin de promouvoir une sexualité saine chez nos enfants et nos adolescents, qui ont une envie et une soif d'apprendre, de savoir et de connaître.

Chapitre 7

Le couple

Les structures du couple

Depuis la fin des années soixante, le modèle du couple est en pleine mutation.

Avant 1968 et la révolution sexuelle, il était très difficile pour un homme et une femme mariés d'avoir une sexualité épanouie. En effet, la femme devait être en même temps la conjointe et la mère. Elle était soumise, il fallait qu'elle soit la servante du mari dans tous les domaines. Pour le ménage comme pour le sexe. Cette situation engendrait des couples fidèles, mais construits dans l'obligation. Une fois âgés, ils étaient heureux d'avoir fondé une famille et d'avoir traversé toutes les épreuves de la vie. Mais très souvent, ces couples « à l'ancienne » étaient seulement heureux de s'être habitués à vivre ensemble sans être comblés sexuellement. Aujourd'hui, la difficulté est autre...

Dans le modèle actuel des couples, c'est plutôt : « Tant qu'on a du plaisir ensemble, on reste ensemble, mais aux premières difficultés, on change de partenaire. » La relation s'est précarisée, le ciment d'antan fondé sur la contrainte et la morale a disparu. Le conditionnel lié à l'épanouissement du couple est de plus en plus mal géré. On est entré dans l'ère du temporaire, du jetable. Entre les êtres c'est : « Je t'utilise, tu m'utilises, mais dès que notre histoire se complique, je te jette ou bien tu me jettes. » Évidemment, ce type de rapport crée de la souffrance et de la détresse. Il génère des difficultés qui rejaillissent souvent dans l'intimité sexuelle. Est-ce à dire que c'était mieux avant, à l'époque de nos grands-parents ? Non, certainement pas ! La difficulté est de trouver un juste milieu qui ne soit ni trop rigide ni trop souple.

Pour bien comprendre le fonctionnement des couples, il faut les classer en deux catégories qu'*a priori* tout oppose : les sexuels et les sentimentaux.

Les couples sexuels

Ce sont ceux qui ont une sexualité comblée. Explosive. C'est un feu d'artifice, une abondance au plan sexuel, mais les deux partenaires sont incapables de vivre ensemble. Ils s'accrochent constamment dans le quotidien, et se perdent dans des conflits qu'ils n'arrivent pas à gérer. L'intensité de l'extase physique qu'ils atteignent est proportionnelle à celle du rejet de l'autre dans la vie de tous les jours. Généralement, ces couples ne possèdent aucune affinité et n'étaient pas destinés à cohabiter. Leur relation est bâtie sur une grande attirance physique réciproque, une compatibilité érotique puissante. À tous ceux qui cherchent à comprendre les raisons fondamentales et psychologiques d'une telle complémentarité sexuelle, je répondrais simplement que ça ne s'explique pas, c'est moléculaire. Les deux partenaires sont attirés par la peau et les odeurs de l'autre. Dès qu'ils se retrouvent dans l'intimité, c'est l'explosion, ils s'oublient complètement et atteignent un nirvana qu'ils quittent, hélas, dès qu'ils sont confrontés à la vie quotidienne.

Les couples sentimentaux

Ce sont ceux qui s'entendent parfaitement dans la vie, mais qui, souvent, éprouvent des difficultés dans le domaine sexuel. Tout fonctionne très bien entre eux dans le quotidien, mais leur intimité est un échec. Le premier élément qu'on constate en thérapie est que le choix du couple a été le bon. Ça signifie qu'il y a des affinités affectives, sociales, sportives, intellectuelles qui font que les deux se complètent et sont complices. Elles entraînent une confiance mutuelle. Mais quand quelqu'un a des problèmes sexuels et des traumatismes non résolus, les difficultés primaires se manifestent en premier lieu dans l'intimité avec la personne qui lui est la plus proche, c'est-à-dire sa compagne ou son compagnon de vie. Ces troubles peuvent même provoquer un blocage érotique.

Cette catégorisation est parfois un peu caricaturale, j'en conviens. Il existe aussi des couples plus équilibrés, qui ont parfois du mal à développer leur érotisme et qui se lassent plus facilement ensuite. Car il est difficile, en effet, de conjuguer sur la durée l'épanouissement physique et une parfaite complémentarité dans la vie quotidienne. L'idéal d'un couple étant, évidemment, d'arriver à une bonne affinité entre le sexuel et le sentimental, comment y parvenir ?

Pour un couple qui connaît des blocages dans son intimité, il faut traiter le trouble sexuel primaire en prenant en thérapie les partenaires individuellement, afin d'évaluer ce qui ne va pas. Que s'est-il produit dans l'histoire de la personne comme malaise, comme bouleversement qui perturbe aujourd'hui sa sexualité ? Une fois ce trouble identifié et traité, le couple doit se rapprocher et redécouvrir sa sexualité dans la séduction et l'intimité. Ils doivent érotiser leur affinité affective. Car sans érotisme, le couple se perd.

Les partenaires doivent apprendre à connaître leurs désirs réciproques. C'est fondamental. L'homme est essentiellement excité par ce qu'il voit – érotisme visuel –, alors que la femme l'est par ce qu'elle entend – érotisme auditif. Les couples échouent souvent parce qu'ils ignorent cette réalité naturelle. Ce qu'ils font spontanément quand ils sont en phase de séduction, ils l'oublient progressivement ensuite. Pour exciter un homme, la femme doit soigner son apparence vestimentaire, en n'hésitant pas à utiliser de la lingerie fine. Elle doit être séductrice et stimuler l'imagination de son mari. L'homme doit continuer à dire à la femme qu'elle est belle, qu'il la désire et qu'il l'aime sur un ton séducteur. L'érotisme doit être nourri et se vivre de différentes façons. Les vieux couples oublient trop facilement les détails, tous ces petits riens qui excitent et entretiennent le désir. Un simple regard, une façon de toucher la main de l'autre, de l'effleurer... Même si la pratique varie avec l'âge, même si la fréquence change, les rapprochements physiques ne doivent jamais cesser.

Exemple 1 :

J'ai reçu un couple, tous deux avaient quarante-cinq ans. En apparence, tout allait pour le mieux, ils s'aimaient, ils avaient trois enfants et quatre petits-enfants. Ils correspondaient parfaitement à l'image du bonheur familial. En apparence seulement. Ils n'avaient plus la moindre vie sexuelle depuis vingt ans. Elle aurait aimé, mais lui ne voulait pas. Il en était incapable. Ils étaient à un âge où les désirs sexuels de l'homme et de la femme divergent. En vieillissant, la femme devient généralement plus sensible aux plaisirs érotiques. Alors que l'homme, lui, s'investit davantage dans sa réussite professionnelle, et peut se montrer de moins en moins préoccupé par la chose sexuelle. Mais dans ce cas, cette baisse de la libido chez l'homme venait de causes plus profondes. Très vite, en écoutant ces patients, je me suis rendu compte que le mari réprimait sa sexualité et ses désirs car, disait-il, il aimait trop sa femme pour pouvoir la toucher. Ainsi, il était fidèle à la construction du couple et de la famille que lui avait transmise sa mère. La thérapie a consisté à évaluer son trouble sexuel primaire. En fait, son problème s'était développé au moment de la mort de sa mère.

Pour elle (sa mère), l'homme était un bourreau qui se nourrissait de sexe. La femme, en accomplissant son devoir conjugal, était sa victime. Mon patient était le dernier de ses enfants. Elle l'avait considéré toute sa vie « comme son bébé ». Elle était protectrice, le surveillait et contrôlait ses pulsions sexuelles d'homme. Elle l'avait empêché de se masturber normalement quand il était petit garçon. Elle voulait que son fils soit un bon petit garçon, ce qui signifiait qu'il devait prier, plutôt que d'avoir des rapports sexuels avec la femme qu'il aimait. À la mort de sa mère, il avait voulu respecter à tout prix sa fidélité envers elle et ses valeurs. Il ne pouvait plus la décevoir. C'est alors que son angoisse de masculinisation s'était réveillée. Elle survient quand un homme n'a pas pu, enfant, se défusionner d'avec sa mère. Il s'agit souvent d'une mère trop et mal aimante qui étouffe ses enfants. Mais pour revenir à notre exemple, une fois son devoir d'époux accompli, notre homme n'avait plus été capable d'avoir la moindre activité sexuelle. Ce qui l'avait mené à une castration érotique. À partir de là, ç'avait été la grande panne. Dès sa rencontre avec sa future épouse, il avait adopté les croyances de sa maman pour être un bon mari : pas de rapports sexuels avant le mariage. Et très peu après. En ayant accepté de sacrifier ses pulsions et ses désirs érotiques, la femme, elle, sous prétexte de respecter son mari, lui avait nui. Elle l'avait laissé sous l'emprise de sa mère, qui dissociait amour et érotisme. Son époux était resté un grand enfant incapable d'assumer une sexualité d'adulte. Je lui ai donc conseillé de faire des exercices de visualisation. Il a dû se projeter comme un adulte, car il n'était plus le petit garçon sous la domination de sa mère. Et puis surtout, il a fallu que tous deux remettent de l'érotisme au cœur de leur couple. C'était essentiel. Cela passait par des exercices de sensibilisation érotique. Ils sont allés marcher ensemble pieds nus sur une plage de sable. Ils se sont baignés nus dans la mer. Ils ont travaillé l'éveil de leurs sens. Ils ont dû aussi reprendre progressivement une activité sexuelle, car moins un couple pratique, et moins il se sent compétent.

L'autre cas de figure que je rencontre lors de mes consultations est celui du couple qui s'éclate et se réalise parfaitement au lit, mais se dispute tout le temps.

Exemple 2 :

J'ai rencontré un jeune couple, tous deux âgés de trente ans et parents d'une petite fille de trois ans. Entre eux, c'était un festival des sens. Ils m'ont tout de suite prévenue : aucun des deux n'avait jamais eu de partenaire sexuel avec lequel ça se passait aussi bien. Il leur suffisait de se voir, de se frôler pour qu'immédiatement le désir monte. Leur problème, à l'inverse du couple précédent, était que le sexe était le seul domaine où ça marchait entre eux. Pour le reste, c'était la guerre ! Ils étaient en conflit permanent et ne s'entendaient sur rien. Dès le début de la thérapie, j'ai compris qu'ils n'avaient absolument rien en commun. Elle était sportive, aimait sortir et voir des amis, alors que lui restait des heures planté devant la télé à ne rien faire. Tout les opposait. Très vite, j'ai réalisé qu'ils étaient incapables de continuer à vivre ensemble car, malgré tous leurs efforts, leur couple échouait. En évaluant objectivement leurs affinités, j'ai été très franche. Inutile de leur mentir et de les bercer dans une quelconque illusion : entre eux, c'était mission impossible ! Un couple peut soigner son entente sexuelle, il ne peut en aucun cas transformer les désirs et la nature de chacun.

La raison pour laquelle ça se passait aussi bien au plan érotique est qu'ils dissociaient l'affect du sexe. Leurs échanges amoureux n'étaient pas fondés sur l'envie de construire un couple, mais sur la chimie biologique qui les excitait. N'écoutant que leurs pulsions, ils s'étaient engagés d'une façon aveugle. Ils avaient conçu leur enfant au début de leur relation, ils étaient si fusionnels sexuellement qu'ils s'étaient laissés aller. La femme était tombée enceinte et ils avaient décidé de le garder. Quand ils sont venus me consulter, ils étaient désespérés, car leur petite fille ressentait toutes les tensions entre ses parents et en souffrait beaucoup. Un enfant de trois ans a besoin que ses parents s'entendent bien. La petite fille était à un stade de son développement où il fallait que sa mère survalorise son père. C'est indispensable pour la construction de la personnalité, l'enfant doit ressentir que la mère aime le père dans ses valeurs de père et d'homme. Or, ce n'était absolument pas le cas, au contraire.

Quand je leur ai demandé s'ils étaient prêts à continuer à vivre dans le conflit et dans le désordre, et à éduquer leur fille en ne se réalisant que dans les disputes, ils m'ont dit non, évidemment. La question, pour eux, était la suivante : est-on obligé de vivre ensemble à partir du moment où l'on a un enfant ? Pourquoi serait-on obligé de partager la même maison, les mêmes sorties et loisirs, sous prétexte qu'on a un enfant ?

Leur seul lien véritable était leur fille. Tout le reste était secondaire et pouvait être géré différemment. Devant l'éventualité d'une séparation, ils m'ont dit qu'ils avaient besoin l'un de l'autre, qu'ils ne voulaient pas se perdre. Ils n'étaient pas prêts à sacrifier l'intensité de leurs ébats. Mais avaient-ils besoin de cohabiter pour s'accomplir sexuellement ? Non. Ils ont donc choisi de vivre chacun de son côté, sans pour autant se séparer complètement. Ils ont revendu leur maison commune et ont acheté chacun un appartement dans le même quartier. Et le miracle est arrivé, ça a marché. Le fait de ne plus être tout le temps l'un sur l'autre leur a permis de retrouver une certaine sérénité, et d'avoir des activités et des sorties ensemble avec leur enfant, ce qui leur avait été jusque-là impossible !

Pour d'autres couples encore, les ébats sexuels et le plaisir peuvent être puissants dans l'immédiat et disparaître tout aussi vite. Comme dans le cas suivant.

Exemple 3 :

Un homme et une femme, âgés tous deux de vingt-cinq ans, sont venus me voir parce que ça n'allait plus du tout sexuellement entre eux, alors que les débuts avaient été extraordinaires. Les premiers mois, ils faisaient l'amour sans arrêt, d'une façon obsessionnelle et compulsive. La femme m'a appris très vite qu'elle avait été abusée par son père quand elle était petite, et avait sublimé ces moments intimes, contrairement à la plupart des femmes dans ce cas-là, qui vivent dans la haine et le ressentiment. Elle était dans un état de grande dissociation affective et était toujours follement amoureuse de son père. Son système protecteur l'avait amenée à nier l'aspect abusif de son comportement envers elle. Elle était persuadée d'avoir un bon papa, qui l'aimait et l'adorait. Son compagnon ressemblait beaucoup, physiquement, à son père. Quand elle l'avait rencontré, elle l'avait « reconnu », il avait réveillé les sentiments amoureux qu'elle éprouvait pour son géniteur. Son attirance physique pour cet homme était incroyable.

En faisant l'amour sans arrêt, elle génitalisait le conflit latent qu'elle avait avec son père. Inconsciemment, elle n'avait pas ces relations intimes avec son compagnon, mais avec son père. Au bout d'un moment, cela avait créé un malaise. Le compagnon ne trouvait plus sa place dans cette relation. Une sorte d'« instinct » (ce que j'appelle la connaissance inconsciente) lui avait fait comprendre qu'il remplaçait le père de sa compagne. Mais il était incapable de le dire ou de l'exprimer. Dès que son amie le touchait, il se sentait mal. Il avait alors commencé à prendre ses distances dans les échanges physiques et elle l'avait très mal vécu. Comme son compagnon remplaçait son père dans son inconscient, cet éloignement qu'il lui avait imposé l'avait fait régresser jusqu'à son trouble d'abandon d'enfant. En effet, une petite abusée par son père se sent abandonnée par sa mère. Quand elle était avec son père, elle « remplaçait » sa mère. C'est sordide, mais c'est souvent de cette façon que ce type de relation incestueuse se construit. Je n'ai pu faire avec eux qu'un constat d'échec, malgré le traitement de la femme. Le couple s'est finalement séparé, il était absolument dans l'erreur.

La fidélité

Tout d'abord, mon jugement sur la fidélité n'est pas un jugement moralisateur ou religieux. C'est celui d'une sexologue-thérapeute. Aujourd'hui, la fidélité au sein du couple est entièrement à reconsidérer. De façon générale, on la définit comme l'obligation de rester avec son conjoint ou bien celle de n'avoir qu'un partenaire à la fois. En fait, c'est bien plus complexe. Quand j'écoute des personnes en couple qui ont connu des aventures extraconjugales, je m'aperçois qu'elles ont surtout été infidèles à elles-mêmes. En effet, quand deux personnes décident de vivre ensemble, elles s'engagent l'une envers l'autre. Quand on devient infidèle, on le devient avant tout par rapport à ce principe d'engagement personnel. L'infidèle se pense et se considère fidèle à lui-même, or il se trompe. En commettant un adultère, c'est d'abord lui qu'il trahit. Quand on se lance dans une telle aventure, tous les subterfuges qu'on utilise pour cacher son forfait aggravent l'état affectif. En dehors de la vérité, une personne se désorganise. Cette désorganisation concerne aussi bien celle qui ment que celle qui subit le mensonge. Même si elle ignore l'acte, celle-ci en pâtit, son conjoint lui manquant de respect. Par ses agissements et ses mensonges, il ne reconnaît plus la valeur de l'autre et agit en enfant irresponsable d'une façon déviante. Personne n'est fait pour vivre dans la dévalorisation de soi ou des autres.

Les causes de l'infidélité sont multiples. Des angoisses d'enfance non résolues peuvent entraîner l'un des membres du couple sur les voies de la tromperie. L'homme va facilement génitaliser l'adultère. Il va passer à l'acte. La femme peut se contenter de le fantasmer et avoir des excitations émotionnelles, même si aujourd'hui elle va de plus en plus souvent vers le franchissement. Pour ne pas arriver à un tel comportement et éviter les dégâts qu'il occasionne, la personne peut commencer par reconnaître et avouer qu'elle n'est plus intéressée par son compagnon actuel. Inutile de dévaloriser l'autre pour se trouver des excuses. En cas d'aventure extramaritale, on ne doit pas forcément quitter l'autre. La personne engagée avec A qui a une aventure avec B doit affronter la réalité. Elle doit résoudre le problème qu'elle a avec A. Il ne faut pas forcément mettre fin à la vie de couple parce qu'on s'ébat avec quelqu'un d'autre. En revanche, on ne peut pas former deux couples en même temps. C'est humainement impossible et psychologiquement tout à fait contradictoire. Si on a une pulsion pour une autre personne, on doit se poser la question suivante : dans mon couple actuel, y a-t-il un obstacle majeur qui m'empêche de continuer ? La personne qui est en situation d'infidélité doit, avant toute décision hâtive, mûrir son choix, son désir de changer de partenaire. Si on a toujours le même menu, cela peut à la longue devenir ennuyeux, j'en conviens, et on peut être tenté d'aller voir ailleurs. Mais avec une telle conception du couple, tout engagement est alors temporaire. « Je suis avec toi comme partenaire sexuel, mais dès que la passion amoureuse commencera à s'estomper, j'arrêterai et j'irai ailleurs. » C'est hélas une vision du couple aujourd'hui largement répandue ! Il y a aussi beaucoup de concubins qui acceptent les incartades de l'autre, à la seule condition d'en savoir le moins possible. Je traite de plus en plus de couples qui fonctionnent ainsi et rencontrent de nombreux problèmes, comme le démontrent les histoires suivantes.

Exemple 1 :

Je traite un couple, mari et femme, âgés tous deux de quarante ans. Ils ont un fils de dix ans. Depuis plusieurs années, la femme refuse d'avoir des rapports sexuels avec son mari. Elle rêve que, comme elle, il devienne abstinent. Mais il en est incapable. Il a des pulsions qu'il ne peut ni ne veut réprimer. Il décide donc d'avoir une sexualité hors de son couple, avec l'accord de sa femme. Elle accepte ces aventures à condition qu'il ne s'agisse que de sexe. Elle refuse catégoriquement qu'il puisse développer le moindre sentiment amoureux pour ses maîtresses. Je me trouve donc en face d'un cas de dissociation affective. Son mari s'organise et sort deux fois par semaine, chaque mardi et chaque jeudi. Chacun de ces deux jours correspond à une maîtresse différente. Il n'a rien à se reprocher, sa femme sait ce qu'il fait et ses maîtresses savent qu'il est marié. Il est honnête et droit, mais cette situation lui pèse. En thérapie, j'essaie de découvrir les raisons du désintérêt de sa femme pour le sexe. Je découvre qu'elle a été abusée par son père étant enfant. Son désir d'abstinence, officiellement une quête de spiritualité, est en réalité un trouble remontant à l'enfance. Leur arrangement qui semble si équilibré n'est en fait qu'un immense théâtre. Ils n'en veulent plus. Songer à la séparation est pour eux impensable. La thérapie est longue et difficile, tant les deux partenaires semblent éloignés dans leur vie et dans leurs problématiques. La femme accepte progressivement quelques moments d'intimité sexuelle, et le mari voit moins ses maîtresses. Mais je ne peux pas aller plus loin avec eux... Je l'avoue, je ne peux pas faire le bonheur de mes patients malgré eux. Ils restent les seuls maîtres à bord.

Exemple 2 :

J'ai eu en consultation une femme qui vivait avec un homme plus vieux qu'elle. Pour se divertir, elle chantait dans une chorale. Elle était immédiatement tombée amoureuse du chef de chœur et, ce qui devait se produire était arrivé, elle avait eu une aventure avec lui. Elle essayait de se justifier en expliquant que son conjoint était beaucoup plus âgé qu'elle, et surtout qu'il n'était plus très vaillant sexuellement. Mais assez vite, prise de remords et en proie à une grande culpabilité, elle avait mis un terme à cette aventure. Encore très amoureuse du chef de chœur, elle avait vécu assez difficilement son deuil amoureux. Son mari avait alors plongé dans une douloureuse dépression nerveuse. Elle avait essayé de l'aider, supposant que son état dépressif était provoqué par sa retraite. Elle continuait de vivre comme si rien ne s'était passé. Elle niait l'adultère. Quand son mari avait fini par aller mieux, c'était elle qui avait sombré à son tour dans la dépression nerveuse. Une évidence s'imposait : ils ne pouvaient plus être bien ensemble. Le mensonge avait jeté une ombre entre eux et avait désorganisé leur couple. Tant que la vérité ne serait pas pleinement établie entre les deux, le poids serait trop lourd à porter. Le but de ma thérapie a été de les amener à affronter la vérité ensemble pour les aider à aller mieux. Après plusieurs séances, ils ont pu renouer le dialogue et s'en sortir.

La jalousie

À la différence de l'infidélité, la jalousie est une pathologie très particulière, car il s'agit d'une maladie émotionnelle. Pour la comprendre, il faut remonter à ses origines. Elle débute dès la petite enfance. Un bébé est naturellement jaloux, car il est dépendant. Il ne peut subvenir seul à ses besoins, il ne peut se nourrir sans l'aide de ses parents. Si ceux-là ne lui donnent pas assez d'amour, il peut mourir. Or, un enfant est incapable de percevoir l'amour de son papa ou de sa maman s'il n'est pas accompagné d'une expression sensuelle, s'il ne se matérialise pas par des caresses. Il faut le lui montrer, être démonstratif. Et il a besoin de ces attentions quotidiennement. Les premières manifestations de jalousie d'un bébé apparaissent très tôt vis-à-vis de ses frères, de ses sœurs, de ses parents et d'une partie de son entourage. Il craint d'être privé d'amour en voyant sa mère en donner à tous les membres de la famille. On peut comparer ce sentiment à ce qu'éprouve un bambin au moment du découpage d'un gâteau : si l'enfant estime que les parts des autres sont trop grosses, il a peur qu'il n'en reste plus assez pour lui. En clair, cette jalousie est une manifestation normale de l'état de dépendance et de fusion avec la mère. Elle est naturelle et inévitable. Mais plus l'enfant est en manque affectif, et plus il se sent en danger de mort. Cela peut même aller jusqu'à une sensation de mort imminente.

La jalousie qui rejaillit à l'âge adulte a la même origine. C'est un état régressif, une projection de l'état de dépendance de l'enfance. L'adulte qui est jaloux ressent un manque majeur d'affection, un grand vide qui engendre des angoisses. Si ce vide profond n'est pas comblé, le jaloux peut agir comme un enfant et prendre le pouvoir sur la personne qu'il considère comme étant son « donneur d'amour ».

Ce sentiment ne s'exprime pas uniquement en couple. Il peut se faire jour avec un parent, une sœur, un frère ou des amis très proches. La personne jalouse se fixe sur celui qui, selon elle, ne lui accorde pas assez d'attention. Elle le surveille et l'espionne, de façon parfois obsessionnelle et compulsive. Les crises peuvent être violentes. Le jaloux peut même en arriver à frapper l'autre. En procédant ainsi, il essaie de « tuer » ses rivaux. Pour comprendre les dérives extrêmes dans lesquelles il peut plonger, il faut bien avoir à l'esprit qu'il réagit comme s'il était en danger de mort.

Tant qu'elle ne se soigne pas, il est impossible de vivre avec une personne jalouse. Car son trouble est profond, majeur et grave. C'est un supplice sans fin. Plus on donne d'amour à une personne jalouse, plus elle en réclame.

En thérapie, le malade doit identifier le manque d'amour ressenti dans l'enfance et en faire le deuil. Le traitement peut être long et fastidieux. Il faut tout d'abord réussir à s'abandonner en laissant libre cours à ses systèmes sensoriels qui ont enregistré la réalité. Contrairement au cortex (la raison) qui peut interpréter et inventer, le corps ne ment pas.

Je vois souvent en entretien des patients qui expliquent leur comportement par un trop-plein d'amour qu'ils auraient reçu dans leur enfance, et qui leur manquerait donc dans leur vie d'adulte. C'est faux. Cela relève de l'illusion. S'il avait vraiment reçu beaucoup d'amour étant jeune, l'adulte ne ressentirait pas plus tard le trouble émotionnel sévère de la jalousie. Mais amener un individu qui pense avoir été aimé et cajolé dans son enfance à admettre la réalité n'est pas simple du tout.

L'identification du manque est pourtant une étape indispensable. Elle va permettre au patient de faire le deuil des carences affectives de son enfance pour enfin devenir adulte. Tant que ce deuil n'est pas effectué, le jaloux est comme un récipient percé dans le fond. Tout ce qu'on peut lui donner ressort aussitôt. Une fois le manque identifié, on travaille sur son acceptation. Tant que la personne confondra ses droits d'enfant avec ses droits d'adulte, elle restera en dehors de la réalité.

Exemple 1 :

J'ai eu, parmi mes patientes, une femme de quarante-trois ans qui était maladivement jalouse vis-à-vis de sa mère de soixante-dix ans. Elle exigeait, en dépit de son âge, que sa maman l'appelle tous les jours. Elle vérifiait, appelait ses sœurs et faisait des recoupements par rapport à ce que sa mère était censée faire ou qui elle était censée voir. Si elle n'obtenait aucune réponse, elle se mettait à douter, à s'angoisser et cela se terminait généralement par des crises de larmes terribles. Elle tyrannisait tout son clan. Quand je la recevais, elle accusait sa mère de lui préférer ses sœurs et de la délaisser.

Elle me disait que son père l'adorait et la chérissait et que, depuis sa mort, elle se sentait abandonnée. C'était pourtant une femme intelligente, professeure d'université en sciences sociales. Mais son trouble émotionnel était si fort qu'il occultait sa réflexion. Il faut savoir que quand une personne se met dans un tel état de détresse émotionnelle,

elle n'a plus accès à son intelligence. D'où les crises d'angoisse et de larmes... Cette situation était devenue invivable pour la mère et la fille. La mère était prisonnière de la fille, qui elle-même était prisonnière de son traumatisme. Un cercle vicieux. Dans cette thérapie, le plus long et laborieux a été de reconnecter la patiente avec sa réalité en faisant disparaître ses fausses croyances. Je lui ai donc fait faire des exercices pour qu'elle s'abandonne à sa détresse d'enfant. On a découvert qu'elle avait une angoisse de vie (celle-ci se manifeste lorsque l'enfant s'est trouvé en danger de mort à un moment ou un autre entre sa conception et son apprentissage de la marche, soit environ l'âge de un an). Lorsqu'elle était enceinte, sa mère avait fait une très grosse chute. Elle avait eu des hémorragies et avait cru perdre son bébé. Le fœtus s'était alors senti en danger. Cette angoisse de vie s'est manifestée des années plus tard, provoquant une jalousie extrême. Nous avons travaillé sur cette angoisse, qu'elle a appris à évacuer par des exercices de visualisation positive, de marche et de respiration à faire tous les jours. Elle s'est sentie mieux et ses rapports avec sa mère ont pu se normaliser.

Exemple 2 :

Parfois, il est très compliqué de soigner cette pathologie, voire impossible. J'ai eu parmi mes patients un couple (tous les deux étaient âgés d'une trentaine d'années) dans lequel l'homme était très jaloux. La femme, professeure au lycée, était victime des crises répétées de son mari. Il la suivait, la pistait, allait la voir à son école pendant ses pauses, inventant n'importe quel prétexte pour vérifier avec qui elle se trouvait. Il était malade de jalousie, mais n'en avait pas conscience.

Un jour, ils sont allés passer un week-end en amoureux dans un très bel hôtel au bord de la mer. Un petit détail insignifiant a pris une importance dramatique aux yeux du mari. Quand ils sont arrivés à la réception, le concierge a souri à la femme qui, par politesse, lui a rendu son sourire. Dès lors, le mari a été persuadé qu'elle avait réservé dans cet endroit en particulier parce qu'elle connaissait cet homme.

Résultat, ils ont passé les trois jours cloîtrés dans leur chambre à regarder la télévision, et les rares fois où ils sont sortis, la femme devait éviter de croiser le regard du concierge. Ce séjour qui se voulait romantique était devenu un cauchemar pour elle. Quand elle m'a consultée, je lui ai prouvé qu'elle ne devait répondre qu'à une seule question : préférait-elle rester emprisonnée dans un château ou bien choisirait-elle la liberté en sacrifiant son confort de vie ? Son mari refusait de consulter, n'étant pas conscient de son malaise. Il accusait sa femme d'être à l'origine de tous leurs problèmes. Il était jaloux de tout et de tout le monde. Ne pouvant pas soigner le mari, j'ai dû aider sa femme à le quitter. Elle devait faire le deuil de son couple pour arriver à se séparer de son conjoint. Il l'a menacée de se suicider, ce qui l'a poussée à rompre définitivement. Elle a choisi la vie pour elle. C'était la seule chose qu'elle pouvait faire.

La séparation

La dernière étape dans la vie d'un couple est aussi la plus douloureuse et la plus difficile. Il s'agit de la séparation. De nombreux patients viennent me voir, complètement perdus et affolés parce qu'ils se séparent. Notons que la séparation ne pose de véritable problème que lorsque le couple a des enfants. Un divorce, une séparation peuvent être vécus d'une façon dramatique par l'enfant et provoquer chez lui des traumatismes profonds. Il est très important qu'il sache que c'est un problème d'adultes qui n'a rien à voir avec lui. Son père et sa mère doivent agir avec bon sens, dans son intérêt, et le laisser complètement en dehors des conflits et des tensions du couple. Les dégâts provoqués par une séparation et les attentions à porter à l'enfant dépendent évidemment beaucoup de son âge. Les parents n'agiront pas de la même façon avec un bébé de six mois et avec un adolescent de seize ans.

On en revient à nouveau aux schémas de Sexoanalyse et aux cycles de développement de la personnalité. L'âge critique pour une séparation se situe entre trois et sept ans, moment auquel se résout le « complexe fusionnel ». À cette période se joue le développement identitaire et érotique de l'enfant, qui passe obligatoirement par la défusion d'avec la mère, comme on l'a dit plus tôt. Il doit se détacher de sa maman pour devenir un être libre, se construire et acquérir sa propre identité. L'enfant entre alors dans une phase de séduction du père, seul être autre que sa mère capable de lui donner la sécurité affective qui sera le fondement de sa personnalité. Qu'il s'agisse d'un petit garçon ou bien d'une petite fille, le dilemme est le suivant : « Dans la fusion j'étouffe, mais dans la défusion, je risque d'être abandonné et de mourir. » L'enfant a un besoin vital de se détacher de sa maman mais, pour le faire dans de bonnes conditions, elle doit le rassurer et le conforter dans son comportement. Il doit se dire : « Même si je m'éloigne de maman, ça ira parce qu'elle l'accepte. Je peux donc me développer et grandir sans risquer de disparaître. » Car sous la douceur des petites têtes blondes, les sentiments sont très violents à cet âge-là. L'enfant, en même temps qu'il se forme, lutte pour sa survie. Même s'il initie naturellement ce mouvement, il doit être accompagné par ses deux parents. Si leur père est dévalorisé par la mère, le petit garçon ou la petite fille vont se défusionner dans un manque. Soit ils iront jusqu'au bout et se jetteront à l'eau en sautant dans l'inconnu – ce qui pourra entraîner ensuite chez eux des troubles du comportement –, soit ils resteront fusionnés avec leur maman et ne se développeront pas correctement sur le plan affectif. Dans les deux cas, ce sera préjudiciable pour leur développement. Dans cette phase de grande transition, les tensions qu'ils ressentent entre leurs parents les font culpabiliser. Ils sont persuadés que c'est parce qu'ils vont davantage vers leur père qu'ils abandonnent leur mère et que les problèmes entre leurs parents surgissent. C'est pourquoi il est vital que la séparation se déroule dans l'harmonie en protégeant l'enfant.

Un autre point important concerne les relations que les parents doivent entretenir entre eux après la séparation. Un enfant n'a absolument pas besoin que ses parents soient amoureux ni qu'ils dorment dans le même lit pour s'épanouir. Il doit simplement savoir qu'ils sont amis. Il doit être rassuré dans le fait que les parents s'entendent bien et qu'il pourra aller vers l'un sans risquer de rendre l'autre malheureux.

Le dernier aspect à envisager pour l'enfant concerne l'infidélité d'un des deux parents. S'il sait que papa ou maman va ailleurs, il devient facilement très inquiet, ça peut le traumatiser. Il ressent l'infidélité comme un abandon et a peur d'être lui aussi abandonné par le parent qui est amoureux d'une autre personne. L'enfant doit savoir qu'être parent est une chose qui n'a rien à voir avec le fait d'être encore amoureux. Il faut lui dire, lui répéter et lui montrer : « Maman t'aime et papa t'aime. » C'est impératif.

Exemple :

Les parents d'un petit garçon de cinq ans et d'une petite fille de trois ans viennent me voir parce qu'ils se séparent. L'homme est tombé amoureux d'une autre femme, ce qui a complètement désorganisé le couple qui s'est retrouvé en situation de conflit généralisé. En premier lieu, je demande au mari s'il est certain de vouloir quitter sa femme. A-t-il bien pesé le pour et le contre, les avantages et les inconvénients avant de prendre cette décision ? Car on peut tomber amoureux à l'extérieur du couple, et finalement se raisonner et revenir auprès de son partenaire. Il ne faut pas partir sur un coup de tête et il faut surtout faire les choses dans l'ordre. La personne engagée en couple, même si elle se sent amoureuse d'une autre personne, doit tout d'abord se libérer de son aventure, notamment en mettant au clair la situation avec les enfants.

Dans notre exemple, la mère des enfants se sent abandonnée. Elle est en détresse. Le fait que les enfants voient leur maman souffrir ainsi pose un gros problème. Ils apprennent très vite que leur père est amoureux d'une autre femme et ils ont peur eux aussi d'être abandonnés.

Quand je reçois les enfants, ils sont tous les deux dysfonctionnels. Le petit garçon de cinq ans culpabilise beaucoup. Il se sent obligé de prendre soin de sa mère et de remplacer le père. Il a pris son père comme modèle, mais reste très attaché à sa mère et ne veut pas la laisser seule. Il se dit : « Maman est triste parce que je me suis détaché d'elle et que je l'abandonne. » Il a des accès de violence et a du mal à se placer dans sa structure familiale. La situation est encore plus préoccupante pour la petite fille de trois ans. Elle a besoin de « tomber amoureuse » de son père, d'en recevoir beaucoup d'amour de façon à construire sa sécurité affective. Se sentant abandonnée par son père, elle s'est refusionnée avec sa mère. Elle régresse dans le langage et se remet à faire pipi au lit.

Dans une telle situation, pour traiter les enfants, je suis obligée de m'occuper d'abord des parents. Dans le naufrage de leur couple, ils sont perdus. L'urgence, c'est la mère qui doit impérativement valoriser le père. Un geste vertueux dont elle est incapable pour le moment. Il est difficile de valoriser auprès de vos enfants un homme qui vous abandonne et vous rend malheureuse. La maman va devoir prendre sur elle car, à cet âge-là, les petits sont comme des éponges, ils captent absolument tout ce que les parents ressentent. Elle doit donc s'efforcer de croire à ce qu'elle leur dit. Pas évident. Il lui faut oublier toute la rancœur et les sentiments de vengeance qu'elle entretient vis-à-vis de son mari. C'est d'autant plus difficile pour elle qu'elle a l'impression de devoir faire seule tous les efforts, alors qu'elle ne s'estime pas du tout responsable de la situation qu'ils vivent. Mais c'est ainsi. Lui, amoureux d'une autre femme, est d'accord pour jouer le jeu et admettre, lui aussi, aux yeux de ses enfants qu'elle est une très bonne mère.

Ensuite vient le problème de la séparation résidentielle. Le thérapeute doit mettre les parents en garde. Ils ne doivent surtout pas dire que c'est la maison de maman ou bien celle de papa. Il faut dire à l'enfant : « Où vit papa, où vit maman, c'est ta maison à toi. »

L'enfant choisit naturellement sa première maison, celle dans laquelle il a été élevé jusque-là. C'est normal, mais il doit apprendre qu'il peut avoir deux maisons. Une autre question se pose rapidement : comment la mère doit-elle parler de la belle-mère ? Les enfants ont besoin de se situer par rapport à elle, c'est très important pour eux. Comme elle est responsable de la séparation des parents, les enfants – du moins au début – ne veulent pas la voir, et c'est tout à fait normal. Ils nourrissent beaucoup de rancœur vis-à-vis d'elle. Les enfants se demandent, et c'est légitime, s'il restera à leur père assez de temps et d'amour à leur consacrer. Ils vont également tester leur mère pour savoir s'ils ont le droit d'aimer cette femme ou pas. Ils voudront connaître les sentiments de leur mère à son égard. Tout cela est normal et doit se passer le plus naturellement du monde. Quand ils vont rencontrer leur belle-mère, il faut simplement leur dire que c'est l'amoureuse de leur papa. Inévitablement, les enfants vont dire à leur maman que cette femme l'a supplantée auprès de leur papa. Mais quoi qu'il arrive entre les parents, l'enfant doit rester à sa place d'enfant. En aucun cas il ne doit essayer de se substituer au parent qui manque. Il doit comprendre qu'un adulte peut dormir seul.

J'ai demandé aux parents d'organiser des rencontres de famille. Papa, maman et les enfants à la même table une fois toutes les deux semaines.

Et ensuite, d'introduire la nouvelle compagne du père lors de ces repas. Dans une séparation, on ne le répétera jamais assez, il faut savoir mettre ses différends de côté, et surtout prendre soin de l'enfant.

Chapitre 8

Les enfants, les ados et la sexualité

Les phases de développement d'un enfant

Pour commencer, il est essentiel d'avoir en tête les différentes phases de développement d'un enfant. Ce sont les suivantes :

– De zéro à deux ans, le bébé.
– De trois à cinq ans, la petite enfance.
– De six à douze ans, la seconde enfance.
– De treize à quinze ans, la préadolescence.
– De seize à dix-huit ans, l'adolescence.
– La postadolescence jusqu'à vingt-deux ou vingt-cinq ans.

Les enfants et la sexualité

J'ai pu remarquer que beaucoup de parents se posent les mêmes questions : à partir de quel âge peuvent-ils aborder la sexualité avec leurs enfants ? Que peuvent-ils leur dire exactement ? Ils sont souvent gênés et n'osent pas évoquer ce sujet avec eux, à tort. Complètement perdus, ils attendent souvent le plus tard possible pour mettre en garde leurs enfants contre tous les abus auxquels ils peuvent être exposés un jour. Leurs explications sur l'intimité sont souvent obscures, voire mystérieuses.

Voici quelques réponses à ces interrogations : on peut évoquer le sexe avec un enfant à partir du moment où celui-ci connaît les différentes parties de son corps, où il est capable de les distinguer. Les parents peuvent – et doivent – lui expliquer les limites à poser avec les personnes extérieures ou un proche non respectueux, et ce dès l'âge de trois ou quatre ans. On lui enseigne d'abord l'amour de son corps. « Tu aimes ton corps, mais il y a des endroits personnels que tu es le seul à pouvoir toucher, à l'exception de tes parents pour assurer une bonne hygiène. »

Il ne faut pas hésiter à lui expliquer que ce sont des zones de son anatomie dont il doit prendre soin parce qu'elles ont une sensibilité particulière. Pour cette raison, elles doivent être protégées. Le père ou la mère ne doivent absolument pas avoir honte lorsqu'ils abordent ce thème avec leur enfant. Leur attitude est fondamentale quand ils en parlent. Ils doivent être calmes et sereins. Une éducation sexuelle prodiguée très tôt est indispensable à la sécurité des enfants.

Pour aider un enfant à connaître son intimité, il faut avoir en tête en permanence les différentes phases de son développement. Entre cinq et sept ans, il entre dans la seconde enfance. Malheureusement, trop souvent, les parents négligent cette période, qui est pourtant une étape essentielle à son développement. C'est un âge fondamental où l'on construit l'estime de soi, où l'on prend conscience de sa valeur personnelle. L'enfant apprend à se fier à son potentiel intellectuel, à mieux discerner la vérité. Il est capable d'estimer si ses parents agissent bien ou mal. Avant l'âge de raison (six-sept ans), il est dans la fusion et la dépendance à un être humain et considère ses parents comme des êtres parfaits et sans défauts. À partir de sept ans, en revanche, il est capable d'apprécier la sévérité de ses parents, il reconnaît si elle est instaurée par amour et dans le sens de son intérêt. Même s'il n'a pas envie de se coucher tôt, de bien manger ou de ranger sa chambre, même s'il fait des crises car ces tâches lui sont désagréables, il réalise que si ses parents le contraignent ainsi, c'est pour lui. Alors qu'au contraire, si on le laisse tout faire, l'enfant, même dans son caprice, se rend compte que son père ou sa mère ne prennent pas soin de lui. Il est alors en détresse d'avoir des parents indisciplinés, car il se sent non protégé, en manque d'amour. Une des fonctions essentielles des parents durant cette phase est d'aider leur enfant à le rester, malgré les tendances et les évolutions actuelles de notre société. Aujourd'hui, en effet, dès l'âge de neuf ans, une petite fille reçoit le message qu'elle doit être sexy et avoir des amies sexy. Elle se perçoit comme une petite femme. Son enfance en est perturbée. C'est dangereux. Aussi longtemps que les enfants ne vivront pas pleinement leur seconde enfance, il leur manquera des bases essentielles à la maturation affective. À cette période, le petit garçon ou la petite fille sont encore dépendants et ne peuvent pas s'autonourrir affectivement ; ils ont besoin de l'être par leurs parents. Ils auront des amis du même sexe qui les conduiront à s'autovaloriser dans leur identité. C'est aussi l'âge auquel l'enfant laisse libre cours à ses pulsions créatrices, il faut lui permettre d'aller au bout en l'encourageant à développer cette part artistique. Certains font du piano, d'autres du dessin et d'autres encore de la sculpture. Le fait que cette étape ne soit pas vécue correctement entraîne une faible estime de soi qui peut être très préjudiciable par la suite. L'enfant peut se perdre et vouloir être absolument comme les autres pour être reconnu et pour exister. Il sera incapable d'être fidèle à lui-même.

Dans ce cas-là, pendant son adolescence, ses amis auront plus de pouvoir que ses parents. Il sera alors en danger.

Les ados et le sexe

Après les explications données aux jeunes enfants sur leur anatomie et les différentes étapes de l'enfance à gérer, un autre défi attend les parents : celui de l'adolescence. C'est le moment des premiers émois. Celui de la montée des hormones, qui décuple l'envie de franchir le pas et de découvrir le sexe par la pratique. J'ai constaté que la sexualité des adolescents restait un grand mystère pour leurs parents. Que font-ils, et à quel âge ?

Tout a beaucoup changé au cours des vingt dernières années. Il y a aujourd'hui un grand paradoxe de l'adolescence. Cette période s'est considérablement allongée pour des raisons opposées. En effet, la puberté physique et hormonale arrive plus tôt qu'avant, à cause de nombreux facteurs qu'on ne maîtrise pas forcément, comme la nourriture, par exemple. Mais le développement affectif est, lui, beaucoup plus tardif. Les jeunes filles sont majeures sur le plan strictement physique de plus en plus tôt, mais sur le plan sexuel (avec tout ce qu'il comporte d'affect), de plus en plus tard. La maturité est retardée, parce que les adolescents n'ont pas de repères ni de responsabilités. Or, ce sont ceux-ci qui les font mûrir et grandir affectivement. Être responsable permet d'apprendre à mesurer les conséquences de chacun de ses actes. Cette responsabilisation doit commencer très tôt. L'enfant doit avoir très jeune des horaires et un temps de jeu à respecter. Il doit être valorisé dans ce qu'il peut apporter à la famille. Il ne s'agit pas de l'exploiter en le faisant travailler dès son plus jeune âge, mais il doit participer à différentes tâches de la maison et se prendre en charge d'une façon beaucoup plus globale. Aujourd'hui, les enfants ne sont même pas capables de gérer leur cartable, ni leur cahier. Ils ne savent, ou ne veulent pas ranger leurs habits. Ils n'assument plus aucun de leurs actes, et c'est un tort. On peut commencer à les responsabiliser dès six ans. Un autre aspect important de leur éducation et de leur construction psychique, qui est souvent négligé, est l'apprentissage de la patience. Il est important, et même essentiel pour eux, de savoir attendre et d'apprécier ce temps de l'attente. Quand les jeunes ne font plus cet apprentissage, ils exigent qu'on leur donne tout, tout de suite. Souvent, les parents obéissent pour avoir ainsi le sentiment d'être de bons parents (ou pour avoir la paix). Ce faisant, ils démissionnent de leur rôle fondamental et, au lieu de leur rendre service et de les aider à entrer dans la vie, ils maintiennent leurs enfants dans un rôle d'assistés incapables de se prendre en charge. L'attente et la frustration font éminemment partie de la vie, elles en sont des valeurs essentielles sans lesquelles on ne peut pas se développer correctement. On remarque d'ailleurs qu'il existe une corrélation entre la capacité d'un jeune à attendre et à gérer sa frustration, et la réussite qu'il connaîtra ensuite dans sa vie sociale, professionnelle et affective.

Le résultat de ces évolutions de société donne des jeunes qui restent longtemps coincés dans cet entre-deux parfois pénible et douloureux qu'est l'adolescence. Mal accompagnés et guidés par des parents inconscients de ce qui leur arrive, ils sont complètement perdus.

Les jeunes filles sont souvent menstruées très tôt, dès l'âge de onze ou douze ans. Physiquement, elles ont des attirances. Mais psychologiquement, elles ne sont pas prêtes à les vivre, et le sont même de moins en moins. Avec l'arrivée de la puberté se développent chez elles les pulsions érotiques, les fantasmes et la sensibilité du corps qu'elles ont du mal à assumer.

Déstabilisés par tous les sites Internet qui exhibent des photos et des films pornographiques à longueur de pages, les jeunes peuvent être tentés de sauter les étapes sans y être préparés. Les adolescents n'ont alors plus aucune notion de ce qu'est la sensualité. Or, on ne peut pas la séparer du sexe, les deux doivent être intimement liés. Sous l'influence des nombreuses images et représentations d'une relation amoureuse qu'ont les jeunes gens aujourd'hui, ils vivent leur initiation à la sexualité complètement à l'envers. Guidés par Internet, ils commencent souvent par des aventures sexuelles débridées, d'une manière ritualisée dans des rapports de domination et de soumission, de violence et de possession, avant même d'être capables de construire une véritable histoire amoureuse. Ils respectent très vite des passages obligés dans leurs relations qui dégradent leur image et la représentation qu'ils en ont. Alors que le processus doit être exactement l'inverse. S'aimer d'abord et découvrir le sexe ensuite. Et surtout pas trop tôt, cela ne sert à rien et peut traumatiser si c'est mal vécu. Une expérience sexuelle qui intervient trop jeune peut déclencher des blocages, notamment chez les jeunes femmes, qu'elles mettront ensuite des années à résoudre. Ainsi, quand une préado de quinze ans demande à ses parents la permission de venir dormir à la maison avec son petit ami, il faut refuser, en expliquant bien les raisons de ce refus. Les parents doivent jouer leur rôle protecteur. Ils doivent préserver l'intégrité du corps, de l'affect et de l'estime de soi de leur enfant. Et cela passe par un respect de son corps et de celui de l'autre, c'est essentiel. Sinon, les jeunes ont une image d'eux-mêmes tellement dégradée qu'ils peuvent ensuite sombrer dans des pulsions suicidaires.

La puberté correspond à l'époque de la maturation affective, celle de la construction psychologique et érotique. Les parents doivent accompagner les adolescents, même s'ils ont souvent du mal à poser des limites.

Exemple :

J'ai récemment reçu une jeune fille de dix-sept ans avec sa mère. Elle était complètement perdue. Elle avait déjà eu vingt-cinq partenaires sexuels et n'avait plus aucune estime d'elle-même. Elle voulait se suicider et avait déjà fait deux tentatives. Elle reprochait cette situation à sa mère, en hurlant qu'elle l'avait « laissée faire tout ce qu'elle voulait » ! Elle aurait souhaité que sa mère l'empêche de coucher avec des garçons à un âge aussi jeune. Elle répétait : « Maman aurait dû me protéger, mais elle se fichait de moi et n'a rien fait. » Je tiens à préciser que ces jeunes filles, qui arrivent complètement perdues en consultation, ne sont pas forcément des délinquantes. Elles sont parfois brillantes et cultivées, avec d'excellents résultats scolaires. Mais elles sont affectivement perturbées. Elles considèrent que leur corps a été bafoué, qu'elles ne valent plus rien. Elles rejettent la responsabilité sur leurs mères qui ne les ont pas protégées. Les parents doivent être capables de dire non, même si ça plonge leur ado dans une profonde crise de révolte. Un enfant a le droit d'être en colère. On doit lui permettre de faire une crise, mais de façon thérapeutique. Il devra ensuite retrouver la paix en lui-même. Les parents ne doivent jamais démissionner de leur rôle essentiel et fondamental de gardiens de l'intégrité de leurs enfants.

CHAPITRE 9

La masturbation

« Est-ce que vous vous masturbez ? » Lorsque je pose cette question, les patients sont souvent gênés. Ils rougissent, détournent le regard et n'osent pas vraiment répondre. Tout le monde a honte de se masturber, et pourtant, tout le monde le fait à un moment ou à un autre de sa vie. Quand on avoue cette pratique, on se sent souvent coupable. On se demande même si elle n'est pas le signe d'un grand déséquilibre de la personnalité, la marque d'une obsession. Pourtant, rien n'est plus naturel. Elle permet la découverte de son corps, de ses zones érogènes et de ses plaisirs. Il n'existe évidemment pas d'obligation thérapeutique à pratiquer la masturbation, mais elle fait partie intégrante de la vie sexuelle de la plupart des gens. Elle intervient à plusieurs stades de la vie et de différentes façons.

Il en existe trois formes, qui se classent en fonction des motivations des personnes qui la pratiquent.

La masturbation exploratoire

La première forme – la plus répandue, car effectuée par tout le monde – est la masturbation exploratoire. Elle est expérimentée par tous les enfants, de la première enfance jusqu'à l'adolescence. Elle fait partie des stades de développement et constitue une indispensable initiation à son corps. Grâce à elle, l'enfant découvre progressivement ses zones érogènes. Elle l'accompagne dans son développement vers sa sexualité. Par curiosité d'abord, par plaisir ensuite. Elle est pratiquée dès la petite enfance, mais c'est au moment de la seconde enfance que les enfants reconnaissent les parties intimes de leur corps. Si, à trois ou quatre ans, ils sont animés par la curiosité, à partir de sept ans ils commencent à identifier les endroits qui leur procurent du plaisir. Ils font ainsi une distinction plus nette entre les sensations que leur corps procure.

À l'adolescence intervient une deuxième phase d'exploration du corps, à laquelle se mêlent des fantasmes plus précis. Les hormones produites en grand nombre jouent alors un rôle prépondérant sur l'intérêt érotique. Elles emmènent l'ado vers des sensations nouvelles qui l'inciteront à la découverte du plaisir érotique pouvant faire partie d'une *saine* masturbation. Elle se résume en trois étapes : découverte, connaissance, exploration.

Le problème souvent rencontré par rapport à cette exploration vient des mères trop pudiques, qui interdisent à leurs enfants de la pratiquer sous prétexte que « c'est sale et dégradant ». Des mères qui peuvent aller jusqu'à espionner leur progéniture et punissent chaque tentative par des tapes et des réprimandes ! Ces réactions inadaptées et disproportionnées ont lieu encore aujourd'hui. L'enfant reçoit alors le message très négatif que ses organes génitaux sont « mauvais ». Il est perturbé. Quand il devient adulte, ce malaise peut revenir sous la forme de ce qu'on appelle un « trouble de la castration érotique » qui peut entraîner des dysfonctions sexuelles chez l'homme comme chez la femme.

La masturbation d'autocomplaisance

Une fois les phases de découverte et d'exploration terminées, on en arrive à une deuxième catégorie. Elle concerne davantage les adultes. Il s'agit de personnes qui, affectivement, ont de l'estime pour leur propre corps. Elles se masturbent alors avec une sensation de liberté et de bien-être dans un cadre libre et volontaire. Ce n'est ni de l'exploration ni de la compulsion, on l'appelle la masturbation d'autocomplaisance. Elle est normale chez la personne qui se donne du plaisir. Elle est également pratiquée par les seniors qui sont seuls ou qui n'ont plus d'intimité avec leur partenaire. Dans cet exercice d'autoérotisme, la stimulation amène une sensation agréable de plaisir et de bien-être. Elle est naturelle et absolument pas problématique. Cette forme de masturbation se fait généralement avec des fantasmes. Celui d'être amoureux, celui d'être aimé par une autre personne. Cette pratique d'autocomplaisance peut être saine, mais ne pas le faire ne présente aucun problème. Une personne peut avoir une saine sexualité sans pratiquer la masturbation. Cette pratique, qui procure une sensation plaisante, doit être un choix libre et non compulsif. Le problème apparaît quand cette quête du plaisir sert à résoudre un malaise. Dans ce cas, elle devient frénétique et se transforme en une addiction.

Le plaisir dans toutes ses avenues demeure nécessaire pour l'équilibre du système nerveux. Il procure un réflexe de détente vital pour l'être humain. La réaction qu'il produit peut être profonde et de longue durée si l'expérience affective qui l'accompagne est conforme aux valeurs humaines – à l'amour de son corps. Dans le cas contraire, où les valeurs affectives sont inexistantes, même en dépit d'un réflexe de détente, l'expérience engendre un malaise et possiblement des comportements dysfonctionnels.

La masturbation compulsive

Cette forme de masturbation pose de nombreux problèmes. Une telle pratique dénature le plaisir en le transformant en addiction. On passe de la liberté et du bien-être à un emprisonnement et à la dépendance. Elle représente souvent ce que j'appelle une « génitalisation des conflits ». Lorsqu'elle est pratiquée par une personne en couple, elle mène inévitablement à la négation de son partenaire.

Cela arrive aux personnes angoissées, timides ou très stressées. À quelqu'un qui vit des situations bouleversantes. Au lieu de fumer une cigarette, de boire ou de manger, au lieu de se défouler dans une activité physique, la personne se masturbe de façon compulsive. Cette dérive concerne autant les femmes que les hommes. Ils en arrivent à se masturber plusieurs fois par jour, jusqu'à ne plus ressentir que de la douleur. C'est néfaste. Qu'il s'agisse d'un enfant, ou d'un adulte, c'est très préjudiciable.

Certains enfants, quand ils sont angoissés, touchent leurs organes génitaux. Ça peut arriver dès un très jeune âge. Ils souffrent alors d'un autoérotisme équivoque qui dépasse le toucher agréable et les explorations. Une personne qui pratique la masturbation compulsive place son corps en situation de cible. « C'est toi, le corps, qui reçois mon malaise. » C'est une réaction négative, parce que le corps n'a pas à être une cible, à recevoir la décharge d'un malaise. À un moment donné, il n'y a même plus de plaisir. Le corps bloque. On a beau le stimuler, il ne réagit plus au moindre plaisir. On en arrive à briser les réflexes d'une sexualité normale. Dans ce cas-là, on fait porter à son corps les malaises que vit l'affect. Il faut alors tout faire pour sortir de cette addiction.

Comment traiter la masturbation compulsive ?

Cette addiction se traite comme toutes les autres. Peu importe le degré de consommation compulsive, la personne qui en souffre doit réussir à se libérer de cette addiction en se libérant de sa cause primaire. Sinon, on remplacera une compulsion par une autre et la personne passera, par exemple, de la masturbation à l'alcool ou à la drogue.

Quand je reçois un patient qui pratique la masturbation compulsive, nous essayons toujours de trouver l'angoisse qui se cache derrière cette dérive. Il peut s'agir d'une angoisse d'abandon, de masculinisation ou d'amour fusionnel. Une angoisse de vie amène aussi très souvent à ces comportements. La masturbation, en effet, peut offrir la sensation de se sentir vivant. Le corps vibre, il y a un plaisir qui passe par les organes génitaux. La personne, alors, l'espace de quelques instants, se sent bien en vie et oublie toutes ses angoisses. Mais ça ne dure pas et ça provoque finalement de plus en plus de crises. L'illusion d'être bien ouvre la porte à un enchaînement déconcertant.

Dans un deuxième temps, une fois que la détresse primitive a été identifiée, le patient doit apprendre d'autres formes de plaisir. On cherche ensemble ses centres d'intérêt et ses passions, afin qu'il pratique une activité qui lui fasse du bien et le détende. Il faut remplacer la masturbation compulsive par du plaisir sain. À partir de là, il doit faire son autothérapie régulièrement. La marche thérapeutique, par exemple, peut être un bon dérivatif.

Remplacer une addiction par un plaisir simple n'est pas évident. Il faut s'y préparer, car la pulsion est soudaine et assez forte. Mais on a le choix. Il y a toujours une fraction de seconde pendant laquelle on peut choisir. C'est infime et ça tient à peu de chose. Mais si la personne s'y est préparée, elle peut faire le bon choix au bon moment. Si elle prend l'habitude, par exemple, d'aller marcher, de pratiquer un sport, d'écouter de la musique, elle développe d'autres ressources qui lui procurent du plaisir. Mais un plaisir sain.

Si on réussit à le faire une fois, deux fois, trois fois, on entre dans une dynamique de libération de son acte compulsif.

Exemple 1 :

Une femme de trente-cinq ans, Lise, est venue me voir parce qu'elle avait rencontré Ivan, un homme charmant, sur son lieu de travail. Elle a commencé à se masturber en fantasmant sur lui. Problème : elle était déjà mariée avec Luc.

Dans ces situations, entre le fantasme et la réalité, la frontière est mince. Cette pratique est de plus en plus fréquente. Aujourd'hui, la norme est d'avoir toujours le plus de plaisir possible, y compris par la masturbation et les fantasmes. Du moment qu'on s'excite, on correspond aux schémas qui nous sont proposés tous les jours dans les médias, la publicité ou les magazines. On a transformé le plaisir en excitation, ce qui revient à faire la promotion de la dissociation entre l'affect, les sentiments et la sexualité. Donc, cette forme de masturbation, quand elle se situe en dehors du couple, peut être préjudiciable. Il ne peut plus y avoir ni harmonie ni bien-être. Un malaise s'introduit dans la vie du couple, qui infecte la relation amoureuse.

Pour en revenir à notre exemple, quand Lise s'excitait en pensant à Ivan, elle se plaçait dans un cadre d'infidélité. Une infidélité à elle-même et à son engagement. Elle était engagée avec Luc, mais dans sa tête elle « faisait l'amour » avec Ivan. Elle pouvait avoir du mal à atteindre l'orgasme avec son mari à moins qu'elle ne pense à Ivan. Cette situation posait un problème dans le couple de Lise. Elle pouvait même vite devenir pathologique, parce qu'elle amenait dans le cerveau une complexité, une problématique dans son engagement. Il y avait un dédoublement qui produisait une dissociation dans le cerveau qui recevait des messages contradictoires. Quand Lise est venue me voir, cette situation engendrait de nombreuses tensions avec son mari, des malaises, et finalement un état de détresse.

En la faisant travailler en thérapie, nous avons compris que l'origine de son malaise était beaucoup plus profonde. Cette masturbation avec fantasme atypique révélait chez elle une carence affective primaire. Elle avait une angoisse de féminité, de manque paternel qui faisait qu'elle avait des difficultés à avancer dans les exigences de l'intimité de couple avec son partenaire établi. Elle avait donc une sensibilité particulière à tous les hommes qui lui manifestaient de l'attention. Chaque fois qu'un homme lui faisait un clin d'œil ou une avance, elle redevenait la petite fille de cinq, six ans, face à son père, en quête de séduction. Le manque paternel devenait évident. Quand son traumatisme de base s'éveillait dans son cerveau et qu'il devenait puissant, il provoquait une telle réaction que ni son intelligence, ni ses capacités de discernement ne fonctionnaient. On appelle cela un blocage cognitif et affectif.

Généralement, ces fantasmes sexuels qui s'accompagnent de masturbation ont des répercussions sur le comportement de la personne. Un jour ou l'autre elle pourrait passer à l'acte et tromper son compagnon. C'est presque inévitable. Car plus on fantasme sur une autre personne, plus on est tenté de franchir le pas. Avec Lise, nous avons travaillé sur ce manque d'amour paternel, dont elle a dû faire le deuil afin d'être à nouveau capable de s'inscrire dans une relation stable.

Exemple 2 :

Une grand-mère est venue me consulter parce que son petit-fils se masturbait tout le temps. L'enfant en arrivait même à avoir des gestes inadéquats. Après s'être masturbé, il allait s'asseoir sur son grand-père et voulait l'embrasser sur la bouche avec la langue. Très vite, on s'est rendu compte que l'enfant avait subi un traumatisme qui l'amenait à agir de la sorte. Il avait été initié et était victime d'attouchements. Être victime sexuelle amène l'enfant à avoir un comportement totalement inapproprié, qui ne correspond ni à son âge ni à ses étapes de développement normal. Le traumatisme peut déboucher sur deux effets opposés. Une augmentation de l'appétit, comme sa disparition. Dans notre exemple, ça rendait l'enfant très dépendant à la sexualité. Il a fallu le protéger, traiter ce malaise et essayer d'atténuer les dégâts psychologiques des attouchements qu'il avait subis.

Il est important de bien accompagner un enfant qui a tendance à trop génitaliser son comportement. Parfois, quand on le réprimande, il va immédiatement toucher ses organes génitaux jusqu'à développer une addiction. Le conseil que je donne toujours aux parents est de ne pas laisser un enfant s'autostimuler quand il n'est pas bien. Sinon, il opère un transfert qui lui sera ensuite dommageable.

Il peut pleurer, il peut être triste, mais on doit l'aider à traiter sa peine sans tout reporter sur le plaisir sexuel.

Exemple 3 :

Bruno et Hélène, un couple d'une trentaine d'années, sont mariés depuis trois ans et veulent des enfants. Quand ils viennent me voir, Bruno est désespéré, il est incapable d'avoir des rapports sexuels avec Hélène. Quand elle le touche et le caresse, il n'a pas la moindre érection. Ses organes ne réagissent pas, il se dit impuissant. Cette situation entraîne un gros conflit dans le couple. Hélène pense qu'il la trompe, elle est persuadée qu'il ne l'aime pas assez. Elle envisage même de le quitter.

En thérapie, je découvre que Bruno souffre d'un complexe de castration érotique. Quand il était enfant, sa mère le frappait parce qu'il se masturbait. Elle lui disait même de ne pas faire « comme son père, qui ne pensait qu'à ça ». Elle l'a castré sexuellement. Sa mère n'aimait pas la relation sexuelle avec son conjoint, ça la dégoûtait. Bruno avait introjecté qu'on ne devait pas avoir de rapports sexuels avec la femme qu'on aime, pour ne pas la salir.

Il réussit à traiter cette castration qu'il a subie étant enfant. Bruno reprend confiance en lui et découvre la valeur de son corps d'homme.

Ensuite, il est capable de se réhabiliter et d'avoir une intimité sexuelle avec Hélène. Ils vivent aujourd'hui la joie profonde d'être parents.

Chapitre 10

La contraception et l'avortement

La contraception

En tant que sexologue et en tant que femme, je suis évidemment pour la contraception. Elle a pour but de libérer la femme. Elle lui a permis de vivre sa sexualité sans la menace permanente d'une grossesse. Grâce à elle, les couples ont pu avoir des rapports sexuels spontanés et une sexualité épanouie. L'acte sexuel a cessé de n'être destiné qu'à la reproduction. Quand la contraception sert à mieux vivre le rapport amoureux et profiter pleinement de sa sexualité, elle a sa valeur.

Mais il faut qu'elle soit utilisée à bon escient et d'une façon responsable.

Le problème se pose quand elle est prescrite sans mesure à des fins de libertinage. L'un des problèmes majeurs de la contraception dans la société aujourd'hui est lié à l'utilisation qu'en font les plus jeunes. On voit très souvent des jeunes filles de onze ou douze ans qui, dès qu'elles ont leurs menstruations, se font prescrire la pilule. Avec l'accord – irresponsable – de leurs parents, ces préados qui sont encore des enfants dans leur tête, sont totalement déresponsabilisées dans leur vie sexuelle. Ces jeunes filles prennent un contraceptif beaucoup trop tôt, ce qui entraînera de nombreux dégâts dans leur vie d'adulte. La contraception ne sert que si on a une vie sexuelle déjà établie. De nos jours, de nombreuses adolescentes prennent la pilule *au cas où* elles auraient (on ne sait jamais) des relations sexuelles dans une soirée ou bien lors d'un weekend, par exemple. Les parents estiment ainsi les protéger, alors qu'en réalité ils les fragilisent. Ce n'est évidemment pas une façon de préparer les jeunes à leur sexualité future.

Aujourd'hui, certains adolescents veulent des aventures sexuelles de n'importe quelle façon et à n'importe quel âge. Leur seul impératif est le plaisir. Le fait de leur donner un contraceptif aussi tôt dans leur existence les encourage dans cette quête stérile. Il n'est plus au service d'une sexualité épanouie, mais devient un outil de dysfonctionnement avec des conséquences considérables, comme un mouvement de déféminisation et de désensibilisation chez les très jeunes femmes.

Le fait, en effet, de se donner sexuellement si facilement sans la sécurité amoureuse leur apprend très jeune à dissocier amour et réflexe génital. En leur offrant un moyen de contraception avant qu'ils soient psychologiquement formés, on encourage les jeunes à « jouer au sexe » de façon totalement irresponsable, sans assumer le moindre de leurs actes ni leur portée. Ils se rencontrent à une soirée, couchent ensemble et s'oublient tout aussi vite, sans penser aux conséquences de leur comportement. Un autre effet très pervers de ce grand mouvement de déresponsabilisation de la vie sexuelle des jeunes est que, malgré toutes les facilités de mise en place de la contraception, le nombre de grossesses non désirées augmente. On aboutit donc finalement au résultat exactement opposé à celui escompté avec les moyens contraceptifs.

L'avortement

Le résultat de toutes ces dérives des comportements, ce sont les avortements.

Ils font office de correctifs aux grossesses non désirées, sans qu'on en mesure vraiment les conséquences auprès de toutes les femmes qui le pratiquent – je dirais même qu'elles le souffrent. Je constate, hélas, tous les jours que plus l'avortement est établi, moins les femmes et les hommes se responsabilisent par rapport à leur sexualité. Puisqu'on présente l'avortement comme étant la solution de sauvetage en cas d'oubli ou de dysfonctionnement d'un contraceptif, tout semble facile. Comme si une grossesse pouvait être interrompue de la façon la plus simple sans que rien n'y paraisse.

Je ne suis pas contre l'avortement thérapeutique. Mais cette pratique doit être circonscrite à certains cas bien précis. La légalisation de l'interruption volontaire de grossesse a représenté un grand progrès pour les femmes. Mais il ne faut pas se tromper d'objectif.

Il ne s'agit pas d'un filet de sécurité à utiliser en cas de défaillance des moyens contraceptifs. L'avortement n'est pas une façon de protéger les jeunes contre les dangers d'une sexualité d'adultes qui ne correspond pas à leur âge. Un adolescent est incapable d'avoir une sexualité d'adulte parce qu'il n'en a pas la maturité. Aujourd'hui, on a parfois l'impression qu'on laisse les jeunes jouer au sexe et qu'on les fait avorter quand ça dérape. Cela n'a aucun sens.

Il s'agit d'un acte médical qui est loin d'être anodin. Une interruption volontaire de grossesse a des effets majeurs sur une femme sur les plans physique, affectif et spirituel. Cela change considérablement le sens qu'elle donne à sa vie.

Évidemment, il existe des cas de figure dans lesquels un avortement s'impose. Il peut être nécessaire pour des raisons médicales. Dans le cas d'une mère qui souffre de problèmes de santé qui l'empêcheraient de poursuivre sa grossesse jusqu'au bout, il est légitime de promouvoir la santé de la mère et l'avortement s'impose.

Mais malgré cet état de nécessité, quelles que soient les raisons profondes qui ont amené une femme à interrompre sa grossesse, elle doit bénéficier du suivi d'un thérapeute expérimenté après l'intervention. Cette partie du traitement qu'on oublie trop souvent est absolument indispensable.

Nous recevons à l'institut des patientes de tous les âges qui ont subi un avortement. Au début elles nient leur malaise et affirment que tout va bien. Je me suis rendu compte par la suite qu'elles l'avaient toujours vécu comme un choc terrible qui génère une très grande détresse. Et pourtant, l'avortement s'est beaucoup banalisé aujourd'hui. Dans les centres de soins, on explique aux jeunes femmes qu'elles ne doivent pas porter un enfant si elles ne sont pas prêtes à l'accueillir. Ce faisant, plutôt que de résoudre un problème, on élimine surtout un enfant qui dérange. Ce n'est pas parce que ces jeunes femmes ne sont pas prêtes à être mères qu'elles seront capables de vivre un avortement sans dégâts collatéraux sur leur état de santé physique et mentale.

On peut d'ailleurs établir une analogie entre les pathologies liées à l'avortement et celles des grands prématurés. De la même façon qu'on avorte parfois trop et trop facilement des jeunes femmes qui auront ensuite du mal à l'assumer, on fait aussi de l'acharnement thérapeutique sur des fœtus de cinq ou six mois qu'on veut à tout prix sauver sans prendre en compte les souffrances terribles qu'ils porteront au cours de leur vie. Quand on a ces enfants-là en thérapie, ils sont complètement perdus. Ils ont souffert, ont vécu un trouble d'abandon et d'attachement. Ils portent une angoisse de vie et un trouble de violence dès le début de leur existence. Par la suite, ils éprouvent de très grosses difficultés relationnelles et peuvent même adopter un comportement antisocial. C'est une chose de les sauver, c'en est une autre de les traiter pour les accompagner ensuite dans leur chemin de vie. On considère dans ces cas-là que l'essentiel pour l'enfant est de rester en vie, quoi qu'il lui en coûte par après. On a tort. C'est la même chose pour une interruption volontaire de grossesse que les femmes ont du mal à assumer. Après l'acte purement médical, on devra accompagner la mère dans sa reconstruction. Car, la plupart du temps, une femme n'est pas capable de survivre à un avortement sans se désorganiser. Les conséquences peuvent être physiques aussi bien que psychologiques.

On observe plus de cancers (du sein, de l'utérus) chez les femmes qui ont subi des interruptions de grossesse non traitées, ainsi que de nombreuses dépressions.

Ces femmes en détresse ne viennent presque jamais me voir parce qu'elles ont subi un avortement. Ce n'est pas le motif « officiel » de leur consultation. Elles s'adressent en général à moi en ignorant les véritables raisons de leur malaise. Elles viennent pour une dépression, des idées suicidaires ou bien une maladie qui touche leur appareil génital, et je ne découvre qu'après le début de la thérapie qu'elles se sont fait avorter. Dans ces cas-là, quand on commence à traiter les véritables causes de leur mal, on en arrive inévitablement à l'avortement, même vécu plusieurs années auparavant. L'orientation de la thérapie change alors considérablement. Pour venir à bout de leur malaise, ces femmes doivent traiter leur avortement et toutes ses conséquences. Beaucoup d'entre elles nient ou occultent totalement l'importance de cet acte. Elles m'affirment qu'il a déjà été traité, qu'elles s'en sont bien sorties et sont passées à autre chose. J'essaie alors de les sensibiliser à leurs sensations corporelles. On devrait toujours écouter ce que le corps nous dit. C'est un aspect essentiel de la thérapie, la mémoire sensorielle (mémoire moléculaire). Le corps exprime la vérité du trouble, il exprime le malaise que porte la personne. Si la femme refuse l'expression de son corps, elle ne peut pas traiter son malaise et ne pourra pas guérir son état d'angoisse. Une fois que les femmes ont réussi, en faisant appel à la mémoire de leur corps, à revenir sur leur avortement et les traumatismes qui lui sont liés, commence la partie la plus délicate des soins.

Une fois cette douleur reconnue, la femme étouffe. Elle est mal. Son corps a gardé la mémoire de cette grossesse au cours de laquelle tout le processus d'accueil de la vie s'était mis en place. Il arrive souvent que ces mères, réalisant vraiment la portée de leur acte, se sentent coupables et méchantes.

Quand les femmes vont au fond de leur détresse et à la racine de leur angoisse, elles en viennent à me dire qu'elles sont des meurtrières. Qu'elles ont tué leur enfant. Il faut alors les aider à se reconstruire. On ne peut pas changer le passé, ni revenir en arrière. Elles ont avorté et elles doivent faire le deuil de leur enfant. Même si l'interruption de grossesse est volontaire, la femme ne choisit jamais de perdre son enfant. C'est un problème de société et non de femme. Elle a fait ce choix parce qu'elle était dans l'angoisse, en état de choc, désemparée face à une grossesse non désirée et souvent mal accompagnée.

J'entends souvent dire à ces femmes que c'est mieux qu'elles aient avorté parce que cet enfant n'aurait pas été heureux, elles n'auraient pas pu l'élever convenablement. C'est une insulte qui leur est faite.

C'est incroyable comme, en voulant minimiser la souffrance à tout prix, on crée de nombreux traumatismes en empêchant les parents de vivre leur deuil. Ils doivent traiter la blessure qui les fait souffrir pour la soulager. Ce n'est pas en la niant qu'ils arriveront à s'en sortir. Ce qui ajoute à la détresse de la mère, c'est de ne pas avoir tenu l'enfant dans ses bras et de ne pas lui avoir dit qu'elle l'aimait.

En thérapie, la femme doit arriver à vivre sa maternité jusqu'au bout pour faire correctement le deuil de son enfant, de la même façon qu'une mère qui en a vécu la perte naturelle.

Une autre étape très importante est de donner un nom à cet enfant et lui permettre de croître dans son âme. Ce n'est qu'à cette condition que la mère pourra se libérer pour ensuite avancer vers d'autres maternités. Si elle garde en elle ce sentiment de mal-être, elle projettera toute sa douleur non traitée dans les grossesses ultérieures. Les conséquences peuvent vite devenir dramatiques dans une famille en déséquilibrant affectivement les autres enfants.

Le cas d'une grossesse à la suite d'un viol est encore particulier. La femme enceinte doit consulter immédiatement. Si c'est pris à temps, on dispose de moyens très efficaces pour empêcher un début de grossesse. Mais si elle n'agit pas tout de suite, il va lui falloir traiter le choc du viol avant d'envisager un avortement. Car si la mère se fait avorter sans avoir été traitée avant, elle cumulera deux chocs : celui de l'avortement et celui du viol. Or, la juxtaposition des deux crée un traumatisme sévère et très complexe à soigner par la suite.

Tout se traite. Il faut toujours avoir à l'esprit qu'on n'élimine pas forcément le malaise en interrompant la grossesse. Une interruption de grossesse n'est pas du tout une solution à des grossesses non désirées, elle n'est qu'un palliatif. Le problème de fond restera et se reproduira ensuite. Une fille qui avorte très jeune pourra répéter son geste par la suite.

Plutôt que de pratiquer des avortements à tour de bras, faisons de l'éducation sexuelle, éduquons nos jeunes en les responsabilisant. Savoir accompagner une femme ou un couple aux prises avec une grossesse non désirée est un art. Le respect et l'écoute en profondeur sont de mise.

Exemple :

Élise, une maman de trente ans, est venue me voir parce qu'elle rencontrait de gros problèmes avec Zoé, sa fille de cinq ans. La petite était hyperactive. Elle faisait beaucoup de cauchemars et avait des pulsions suicidaires.

En thérapie, Elise m'a avoué qu'elle avait subi un avortement avant d'avoir Zoé. Elle prétendait que cette IVG ne lui avait pas posé de problèmes. Elle avait tourné la page et c'était terminé.

Mais la petite Zoé souffrait de troubles majeurs du comportement. Elle était complètement dissociée. En m'occupant de la fillette, j'ai réalisé que j'allais surtout devoir m'intéresser à la mère. Assez vite, en thérapie, nous avons constaté la prévalence d'un important état d'angoisse chez Élise. Dans ce cas-là, quoi qu'on fasse avec Zoé, quelles que soient les réussites du traitement sur la petite fille, si sa maman ne se soignait pas, elle replongerait irrémédiablement. Quand nous avons commencé à aborder les peurs d'Élise, elle a absolument voulu en connaître la cause. Je l'ai prévenue que lorsqu'on accompagne ainsi des patients jusqu'aux racines de leur état d'anxiété, ils découvrent très souvent des causes profondes qu'ils ignoraient. On réveille leur mémoire moléculaire et les sources de leur angoisse se manifestent alors assez clairement pour qu'on puisse en distinguer les souches primaires et surtout les traiter.

Je lui ai demandé d'exprimer son état de détresse en dessinant. Elle m'a fait un dessin assez classique avec une espèce de cercle noir. Quand on est entré dans l'analyse de son dessin, ont surgi des idées de mort et de violence. En poursuivant cette thérapie, on est remonté à la cause profonde de son anxiété : l'avortement qu'elle avait subi sans l'avoir traité. Tant qu'elle n'aurait pas résolu ce problème, elle serait incapable d'élever un enfant normalement sans lui transmettre toutes ses peurs de mort et de violence. Je lui ai appris, par la respiration thérapeutique, à expirer ses angoisses de mort et à faire entrer un sentiment de vie et de bien-être. Elle a donné un nom à son enfant disparu et a commencé à en faire le deuil. Elle était jusqu'alors écrasée par la culpabilité d'avoir tué son premier bébé et elle projetait ce sentiment de violence sur sa fille. Toute cette difficile thérapie a été la condition impérative pour qu'elle puisse à nouveau s'occuper de Zoé convenablement. Elle a appris à soulager sa fille d'une détresse qui ne lui appartenait pas. Faire le deuil de sa précédente grossesse a été indispensable pour libérer un espace de vie dans lequel Zoé pourrait s'épanouir et grandir en toute sécurité.

CHAPITRE 11

La sexualité des handicapés

Contrairement à une idée répandue selon laquelle les handicapés n'ont pas de vie sexuelle, beaucoup d'entre eux viennent me voir pour des problèmes liés à leur sexualité. Quels que soient leur état ou leur handicap, quand ils se présentent à moi, je les traite de la même façon que mes autres patients. Car les personnes handicapées ont les mêmes désirs, les mêmes pulsions et les mêmes manques que les personnes valides. Dans beaucoup d'instituts médicaux spécialisés, on a encore souvent une vision dépassée de la sexualité des handicapés, on a tendance à les considérer comme des personnes inaptes à la moindre vie sexuelle. Soit on les infantilise et on les traite comme des personnes incapables de se prendre en charge, soit au contraire on les bride dans leur sexualité au motif que ce sont des personnes diminuées. Ces deux approches sont dommageables à leur équilibre.

Un premier élément très important à souligner concerne les impuissants, hommes ou femmes, qui ne peuvent pas atteindre le plaisir sexuel. Ils souffrent d'une incapacité physique et neurologique d'excitation des organes génitaux par la stimulation directe. La personne ne ressent rien lors des caresses sur les zones érogènes, son système nerveux ne répond pas. Ça peut être dû à une paralysie, une inflammation ou une infection. Dans ce cas-là, il arrive fréquemment que les médecins décident à leur place et leur annoncent qu'ils doivent renoncer à toute vie sexuelle.

Or, on a découvert qu'il y a différents éléments qui servent de stimulateurs sexuels chez une personne en dehors de l'aspect purement physiologique. Il y a l'affect, lié à l'expérience amoureuse, à l'estime de soi et à l'estime de son corps. Prenons l'exemple d'une personne qui ne réagit à aucune stimulation tactile. Si elle est dans une relation affective qui l'amène par l'amour à se considérer comme une personne de grande valeur, elle arrivera à se ressentir au niveau érotique. Bien qu'elle ne perçoive rien au toucher de certaines parties de son corps, elle saura reconnaître que son corps est là, complet et plein de vie. La seule chose qui lui manque est la connexion au système nerveux qui donne la sensibilité. Mais en utilisant la stimulation affective d'une relation amoureuse, et par la force de l'esprit et des fantasmes, cette personne réussira à s'exciter. Elle pourra même connaître des expériences orgasmiques, alors que la médecine lui avait assuré qu'elle ne pourrait pas atteindre le moindre plaisir. En sexologie, on voit et on mesure le pouvoir de l'affect. De la même façon, à l'opposé, lorsqu'il y a un malaise affectif, même si les systèmes nerveux fonctionnent avec tout le potentiel de stimulation des réflexes du corps, la personne ne réagira pas, l'affect paralysera et bridera toutes ses sensations. Dans notre cas de figure, le processus sera identique, mais à l'inverse. Même si le corps est trop blessé pour une réaction directe, l'affect pourra compenser ce manque physiologique dans les réponses sexuelles, y compris chez une personne paralysée qui n'a plus aucune sensation. Mais tout cela ne marche qu'à la condition que la personne ne soit pas dissociée. En effet, la dissociation entraîne une désensibilisation affective. Chez les handicapés encore beaucoup plus que chez les personnes valides, l'affect est essentiel et doit être placé au cœur de la sexualité. Sans les sentiments et sans une bonne estime de soi, une vie sexuelle est souvent impossible. Mais avec toutes ces conditions réunies, le plaisir sexuel peut devenir une réalité, même chez des personnes dont la sexualité a été condamnée par la médecine.

Les handicapés abusés

Les handicapés sont souvent victimes d'abus sexuels. Les cas de figure sont multiples. Les abus dont on parle le plus sont le fait des donneurs de soins. Ça peut être des membres de leur famille qui s'occupent d'eux au quotidien ou bien des intervenants extérieurs comme le personnel médical ou paramédical présent dans les institutions. Mais dans des cas plus surprenants, dont on parle beaucoup moins alors qu'ils sont très courants, ces abus peuvent être perpétrés par d'autres handicapés. Ces situations sont favorisées du fait que les handicapés ont tendance à être dans la victimisation. L'exemple souvent rencontré entre deux handicapés est le suivant : « On est tous les deux handicapés, donne-moi au moins du plaisir, que je te rendrai. » Même si l'autre ne veut pas, il se sent coupable parce qu'une sorte de pitié solidaire entre en jeu. « Pauvre de toi, étant donné que j'ai pitié de toi, je vais te donner du plaisir. Je ne te laisserai pas dans le manque. » La personne qui commet l'abus va dire à l'autre : « Tu sais à quel point c'est difficile, tu sais à quel point je suis incapable de trouver une personne qui veuille bien me donner du plaisir, vu mon état. » Dans ce cas-là, l'autre devient un serviteur sexuel.

Cet état de fait m'amène à préciser un point très important dans mes thérapies : j'évalue dès le début la conduite sexuelle de la personne handicapée. Car de la même façon qu'on leur dénie souvent le droit au moindre plaisir physique, on ne leur imagine pas la capacité de se comporter en bourreaux et en abuseurs sexuels. À tort. Certains, sous prétexte qu'ils sont en fauteuil roulant, vont facilement demander des services jusqu'à leur chambre, exiger des soins jusque dans la salle de bains, et même jusque dans leur intimité. Ceux-là peuvent avoir des conduites sexuelles abusives, qui doivent être traitées chez eux comme chez n'importe quelle autre personne, avec autant de rigueur et de sévérité. Car ce n'est pas parce qu'ils sont en fauteuil roulant, ce n'est pas parce qu'ils ont un gros handicap qu'ils ont le droit de faire des victimes sexuelles. Il ne faut pas se laisser influencer ou affaiblir par le handicap physique. Très souvent, on remarque que la personne ayant un handicap physique a tendance à chercher la sympathie du thérapeute en se plaçant en victime. On peut plus facilement la plaindre et tout lui passer sur des airs de « pauvre d'elle, elle est malheureuse, etc. ». Or, j'ai déjà eu un handicapé pédophile structurel qui avait mis une fille enceinte à la suite d'un viol. Comme tous les structurels, il était persuadé d'avoir fait du bien à cette personne-là. Et pourtant, on ne s'en méfiait pas, il était en fauteuil roulant et avait une très faible capacité à utiliser ses jambes.

Exemple :

Une femme en fauteuil roulant est venue me voir, car elle avait des difficultés à trouver un partenaire avec qui elle puisse librement avoir des relations sexuelles. Elle avait beaucoup de mal à trouver un compagnon, sachant qu'elle ne voulait pas d'une « bête de sexe ». Elle avait peur de s'engager avec un handicapé, car elle trouvait qu'ils avaient souvent tendance à génitaliser leur malaise physique et se donnaient de ce fait un droit d'hypersexualisation. Leur raisonnement serait le suivant : « Tu ne peux pas me refuser ça, c'est mon seul plaisir, je ne marche pas, je suis diminué, tu as une obligation morale de coucher avec moi. » Cette perspective la rebutait, elle avait donc cherché parmi les non-handicapés, mais elle avait éprouvé encore plus de difficultés à rencontrer quelqu'un. Et pourtant, elle avait des pulsions sexuelles qu'elle avait du mal à satisfaire. Elle avait donc consulté une première fois et était tombée sur un thérapeute, qui lui avait dit : « Ça ne vous suffit pas de ne pas avoir de jambes, vous voulez en plus un trouble sexuel ! »

Tout était dit pour elle. Le concept, l'idée qu'on exprimait devant elle, était que la sexualité pour une femme handicapée n'était qu'un « trouble ». Il valait mieux oublier. Dès le début de la thérapie, j'ai essayé de lui expliquer et de lui faire comprendre qu'elle était une personne entière et complète. Ce n'était pas parce qu'elle était dans un fauteuil roulant qu'elle était condamnée au célibat et à l'abstinence. Il a fallu qu'elle se libère de l'image qui assimile le handicapé à un impuissant. Impuissant à marcher et impuissant sexuel. En travaillant ainsi, elle a réussi à trouver un homme qui l'a accueillie comme elle était.

Un autre problème auquel sont confrontés les handicapés est la faible intimité qui leur est accordée lorsqu'ils sont placés en institution. Très souvent, le personnel médical ne respecte absolument pas leur besoin de solitude. Le personnel soignant entre dans la chambre sous prétexte de distribuer des médicaments, ou bien de contrôler les signes vitaux (température, tension, etc.) sans prévenir, en ignorant et en bafouant l'intimité de la personne handicapée. Des règles élémentaires doivent être adoptées par l'ensemble du personnel. Elles témoigneraient d'un plus grand respect pour la personne handicapée. Si la porte est ouverte, le personnel peut entrer, mais quand la porte est fermée, les handicapés doivent exiger qu'on y frappe et qu'on attende la réponse avant d'entrer. Et s'il n'y a pas de réponse, eh bien il faut se montrer assez discret, patienter un peu et revenir cinq minutes plus tard. Si la personne est dans une situation amoureuse embarrassante, elle aura ainsi le temps de se rhabiller.

Les personnes à mobilité réduite doivent pouvoir compter sur des horaires de soins réguliers, de façon à pouvoir s'y préparer.

Le reste du temps, tout doit se passer comme dans un hôtel avec un « Ne pas déranger » à la porte. Je fais beaucoup de promotion pour qu'on respecte les personnes à mobilité réduite qui sont en institution, et qu'on leur accorde un droit à une vie sociale et amoureuse.

Le comportement du personnel soignant à leur égard peut être contradictoire. Soit on pense que, parce qu'une personne est handicapée, elle ne peut pas avoir une vie sexuelle. Soit on pense que, parce qu'elle est handicapée, la personne a le droit d'être compulsive ou d'abuser de tout le monde en toute impunité. Dans les deux cas, ce sont des erreurs. Le handicap mental incite à considérer les personnes qui en sont atteintes comme des enfants. À cause de cette approche, le handicap qui n'est d'abord qu'intellectuel va aussi se transformer en un handicap affectif.

Pour qu'une personne en arrive à être mature sur le plan affectif, il faut la traiter comme une personne responsable, même si elle a tendance elle-même à développer un comportement enfantin ou très immature. Pour qu'elle puisse devenir un individu mature et adulte, alors il faut la traiter comme un adulte.

C'est la même chose avec la personne handicapée physique. Même si elle a des besoins – d'aide, de soins et d'hygiène – qui peuvent être semblables à ceux d'un enfant, le thérapeute, les soignants et même son entourage n'ont pas à la traiter comme un enfant.

Le thérapeute n'a pas à faire du handicap une justification pour maintenir quelqu'un au stade infantile. En agissant ainsi, on lui nuit en l'empêchant d'entrer dans une croissance significative.

Le handicap mental relève d'un malaise profond, et il faut traiter l'angoisse de la personne comme celle du valide, sous peine de laisser se développer des pulsions compulsives incontrôlables, et une hypergénitalisation de ses malaises. Comme pour n'importe quelle pathologie d'une personne qui n'a pas de handicap mental ou physique et qui souffre de pulsions sexuelles incontrôlables, il est nécessaire d'en trouver la cause.

Les personnes handicapées ont les mêmes droits « médicaux » que les autres et sont appelées à la maturité et à la croissance affectives au même titre que n'importe qui.

Il est fondamental de se pénétrer de cette vérité.

Chapitre 12

La pédophilie

Pas un jour ne passe sans qu'une nouvelle affaire de pédophilie fasse la une des journaux. Cette surmédiatisation est bien sûr due à la recherche du sensationnel par la presse. Ces faits-divers choquent et heurtent les consciences, ils intéressent le public et font vendre des magazines. Mais leur multiplication permet aussi de voir une réalité trop souvent cachée. Elle résulte aussi du fait qu'aujourd'hui on essaie d'écouter beaucoup plus les victimes qu'avant. On prend en compte leurs témoignages, on leur fait confiance et on déclenche de plus en plus de procédures à la suite de leurs plaintes. C'est une bonne chose. Grâce aux nombreuses actions de prévention organisées auprès des petits, on évite chaque jour de nouveaux crimes. Les progrès souhaités dans ce domaine, évidemment, passent encore par des explications sans cesse répétées aux enfants, pour leur faire prendre conscience des limites à poser avec des tiers et des proches, pour leur apprendre l'amour et le respect de leur corps. C'est indispensable. On devrait enseigner ces règles dès l'école maternelle par le biais, par exemple, de programmes pédagogiques destinés aux personnels éducatifs. Cela éviterait bien des problèmes. Mais, même si ces mises en garde empêchent de nombreux abus sexuels, elles ne seront jamais suffisantes pour éradiquer le phénomène. La pédophilie est en effet la plus grave des déviances sexuelles. Chaque année elle traumatise, détruit et tue de nombreux enfants.

Comment l'appréhender, comment la caractériser ?

La pédophilie est une pathologie très spéciale et très complexe.

Il faut tout d'abord opérer une distinction entre deux catégories de pédophiles : les structurels (ou constitutionnels) et les conjoncturels (ou situationnels). Les premiers souffrent de déséquilibres psychiques fondamentaux et se comportent d'une façon compulsive typique des prédateurs. Depuis leur adolescence, ils recherchent des plaisirs pervers auprès des jeunes enfants. Tout leur raisonnement concernant cette attirance sexuelle est faussé ; ils éprouvent souvent beaucoup de sensations en passant à l'acte. Ils ignorent et minimisent les actes d'ordre criminel dont ils sont auteurs. Les seconds, les situationnels, ont un jour une attirance circonstancielle pour un enfant. Cela ne résulte pas chez eux d'un comportement général ni d'une structure déviante. Ils regrettent leurs actes et apprécient de recevoir des soins thérapeutiques. Il est essentiel de faire cette distinction, même si dans le public on ne la fait pas. Ces deux catégories doivent bien sûr être punies de la même manière ; ce qui va changer, ce sera la façon de les soigner et les surveillances à mettre en place à leur sortie de prison.

Établir cette distinction de façon très précise permet d'ajuster le bon comportement thérapeutique avec la personne déviante. Pour savoir évaluer à quelle forme de pédophilie on a affaire, on dispose de nombreux tests et d'un certain nombre d'indices sur la personnalité du déviant. De cette catégorisation va découler tout le traitement envisagé avec l'auteur de ces actes. Dans un cas, précisons-le, c'est une maladie incurable, alors que dans l'autre c'est aussi une maladie, mais qui peut se traiter. Pour être sincère, tout va dépendre de la formation de l'intervenant et de l'implication du patient.

Certains vont estimer qu'un pédophile est structurel (les plus dangereux) en fondant leur analyse essentiellement sur la fréquence à laquelle ils ont commis des actes déviants. Ils se servent d'échelles semblables à celle de Kinsey, utilisée à l'origine pour déterminer l'orientation sexuelle des sujets, et selon laquelle si l'on adopte une conduite homosexuelle pendant un certain nombre d'années, on est homosexuel. Ils l'appliquent de la même façon aux pédophiles en considérant que si une personne a commis des actes pédophiliques avec plusieurs victimes sur plusieurs années, elle est inévitablement un pédophile structurel. Ce n'est pas si simple. Grâce notamment à la création de centres spécialisés en sexologie, on n'évalue pas les profils de la même façon. Les thérapeutes essaient de chercher plus en profondeur pour évaluer la structure de l'état affectif qui amène à la pédophilie.

Cette évaluation de la structure peut être comparée à celle de l'alcoolique.

Il existe une grande différence entre une personne qui boit beaucoup de temps en temps, avec des amis par exemple, et une autre qui boit régulièrement parce qu'elle est alcoolique pathologique. Le véritable alcoolique est dépendant de l'alcool et peut se saouler. Une personne qui n'est pas alcoolique peut également se saouler et provoquer les mêmes dégâts ; mais la distinction essentielle entre ces deux cas de figure intervient dans le traitement. Un alcoolique, quand il est traité, ne peut plus absorber la moindre goutte d'alcool sous peine de replonger irrémédiablement dans son addiction, tandis que l'autre va pouvoir continuer à en consommer d'une façon plus mesurée.

Sauf qu'évidemment la comparaison s'arrête là. L'acte pédophilique n'est jamais acceptable. Mais si dans les deux cas (structurel et situationnel), l'acte déviant est le même, la dynamique qui a engendré ce comportement est très différente. Quelles sont les caractéristiques de ces deux catégories ?

Le pédophile structurel

Ce qui choque au premier contact avec la plupart des pédophiles structurels est justement que rien ne choque en eux. Ils ont le pouvoir de convaincre n'importe quel interlocuteur de leur innocence. Le premier problème qu'un thérapeute rencontre avec eux, c'est qu'ils nient absolument tout. Le fait d'avoir commis des actes pédophiliques comme celui d'avoir eu des difficultés pendant leur enfance. Ils disposent d'une très grande capacité de persuasion. C'est pour cette raison qu'ils sont redoutables. Ils ont même le pouvoir de persuader beaucoup de leurs victimes que leur comportement avec elles est nécessaire et leur fera du bien. De ce fait, on met souvent du temps à les confondre et à les empêcher de nuire. Pour déceler leurs déviances, les thérapeutes devront utiliser de nombreux outils d'évaluation et d'analyse.

Le premier pédophile structurel qui m'a été envoyé pour une expertise était un prêtre. Il m'a dit qu'il était ravi d'avoir affaire à moi parce qu'il était certain que j'étais une grande professionnelle très intelligente, et que mes capacités d'analyse allaient rapidement m'aider à comprendre à quel point il était innocent. En arrivant, il m'a flattée tout en faisant l'historique des calomnies et des fausses accusations dont il était la victime. Il me survalorisait sans cesse, s'exprimait bien et clairement. En face d'un homme aussi affable et à l'aise, aussi gentil et prévenant, j'ai évidemment eu un doute. Et si l'on s'était trompé ? Il a poursuivi son opération de séduction en me disant : « Imaginez-vous donc que des jeunes gens ont inventé tout cela. On a supposé que j'avais eu avec certains un comportement répréhensible. Sachez que c'est impossible de ma part. J'ai de bons rapports avec tout le monde. J'aime les jeunes et je leur fais du bien. Les gens sont jaloux. Ils me prêtent des intentions que je n'ai pas. »

Les structurels sont d'une grande habileté psychologique et cela en fait de dangereux manipulateurs. Leurs capacités sont dues à l'aspect dissociatif de leur personnalité. Cette dissociation qu'on retrouve chez eux résulte d'une insensibilité affective. Leur cortex est persuadé que les actes qu'ils perpètrent sont corrects, et même nécessaires au bien de l'enfant. C'est un signe que le centre affectif, le système limbique au centre du cerveau, a été désactivé. Or, ce système est le référent par excellence pour indiquer une conduite déviante ou une conduite saine. La personne va alors dissocier son comportement de ce qui est humainement admissible. Elle ne jugera plus ses écarts et réussira même à les légitimer dans son esprit. Voilà pourquoi la structure pédophilique n'est absolument pas curable. Le pédophile structurel doit constamment être encadré et surveillé. Pour en revenir au cas du prêtre pédophile, quand il m'a dit qu'il ne faisait que du bien à tout le monde, il y croyait tout à fait, parce qu'il était dissocié affectivement.

Les structurels ne sont donc pas dans la réalité. Ce qui nous relie au réel, c'est notre expérience affective ; eux en sont coupés. Aujourd'hui, de plus en plus de personnes sont désensibilisées sur le plan affectif. Généralement, la personne qui a cette structure d'esprit a commis des actes pédophiliques dès son adolescence.

Cet état psychique peut résulter d'un traumatisme profond qui remonte à l'enfance. En effet, tout enfant doit se dissocier pour survivre à des situations difficiles. Quand il est confronté à une grosse difficulté, comme par exemple des attouchements ou un viol, il doit se couper de sa sensibilité affective pour survivre. Sinon, il s'effondre. L'une des réactions qu'on rencontre souvent en face d'une telle détresse ou d'un tel choc est cette désensibilisation. Il s'agit d'une protection naturelle qui permet à la victime de se préserver. Elle devra par la suite se récupérer en entrant dans sa réalité et se guérir.

Dans les mêmes situations, l'enfant qui restera sensible et connecté souffrira énormément, il se désorganisera, pourra tomber malade et faire des crises. L'enfant sensible dérange davantage quand il a mal. L'enfant désensibilisé se montre plus fonctionnel.

Dans le premier cas, s'il commet des actes pédophiliques (ce qui se produit rarement), il sera généralement un situationnel, tandis que dans le second cas, il aura tendance à devenir un structurel inconscient.

Le pédophile situationnel

Cette deuxième catégorie, la plus répandue parmi les personnes qui ont des conduites pédophiliques, est beaucoup plus facile à appréhender que la précédente pour les thérapeutes. Ils se dévoilent beaucoup plus vite. Quand ils sont démasqués et se font arrêter, contrairement aux structurels qui nient tous leurs actes, les situationnels s'écroulent très souvent. Ils peuvent même avoir un gros choc et se retrouver très vite en état de détresse.

Lorsqu'on le reçoit en thérapie et qu'on le met devant l'évidence des actes qu'il a accomplis, le pédophile situationnel s'effondre. Il se demande ce qu'il a fait et pourquoi il l'a fait. Il va avouer qu'il se sent malade et veut se faire soigner. Il en arrive même à remercier la dénonciation.

J'ai reçu, par exemple, un homme de cinquante ans. Il avait eu une conduite pédophile envers les deux filles de sa compagne, âgées de huit et dix ans. Il avait pris l'habitude, quand il était seul avec elles, d'aller leur faire ce qu'il appelait « des câlins » au lit, le soir, en leur touchant les parties génitales et les seins. Ç'a été pour lui un glissement progressif. Cet homme n'était pas un prédateur qui se jette sur les enfants. Vingt ans après les faits, les deux filles ont enfin parlé. Elles ont dénoncé ses actes devant la police. Dès qu'il a été arrêté, il a craqué et a immédiatement avoué. Lors de son évaluation, lorsque j'ai essayé de juger de son état psychique, il était désespéré. Il s'en voulait et avait des pulsions suicidaires. Je suis allée chercher dans son enfance quel était le problème qui avait pu déclencher son comportement inacceptable. Cet homme n'avait pas de père et il s'était fait violer à l'âge de onze ans. Le travail que nous avons effectué ensemble pour remonter à son enfance a été facilité parce qu'il reconnaissait les faits. Dès lors, il a pu entamer une thérapie pour traiter son malaise. En expliquant les circonstances qui l'avaient amené à avoir ce comportement, je ne l'excuse absolument pas. Car même s'il n'était pas structurel, ses actes étaient condamnables et avaient la même portée. Mais dans son cas, la thérapie s'est révélée utile pour le délivrer de certains de ses démons. Il devient possible de soigner la personne quand elle se rend compte de la gravité de ses actes et qu'elle les regrette profondément.

Comment les évaluer et comment les soigner

Quand un thérapeute est face à un pédophile structurel, il essaie d'évaluer sa détresse primaire. Il enquête et pose des questions sur son enfance et sa famille. Mais, très souvent, ces pédophiles mentent et affirment que tout s'est toujours bien passé pour eux. Par exemple, le prêtre structurel mentionné plus haut m'affirmait que ses parents étaient d'excellents parents. Son père travaillait et s'occupait très bien de lui. Pour me rendre compte que c'était faux, j'ai dû utiliser des tests projectifs[1]. Quand je fais dessiner ces patients, et que j'introduis les exercices thérapeutiques, les dérèglements de leur enfance deviennent plus flagrants. Les dessins permettent de voir et de comprendre la structure psychologique complètement brisée des pédophiles. Car, si surprenant que cela puisse paraître, un dessin ne peut pas mentir. Il est inutile d'être un expert en graphologie ou un grand spécialiste du dessin contemporain pour être capable de les évaluer. On dispose en effet de nombreux outils qui nous permettent de certifier à quelle nature de pédophile on a affaire. Il s'agit de dessins spontanés. Que la personne sache ou non dessiner, qu'il s'agisse d'un professionnel ou bien d'un très mauvais dessinateur, cela n'a aucune importance pour le test. Je leur demande de l'exécuter le plus spontanément possible.

1. Le test projectif est un outil d'évaluation psychologique qui amène le sujet à se projeter sur un matériel dépourvu de signification (les taches d'encre dans le test de Rorschach, par exemple) pour exprimer les éléments affectifs de sa personnalité.

Lire les dessins selon le MIGS

Les interprétations des dessins selon le MIGS sont très précises.

Exemple 1 : l'arbre, la maison, le chemin

Au début, pour le premier dessin, on leur demande simplement de dessiner avec des crayons pastel, un arbre, une maison et un chemin.

L'arbre représente leur structure en lien avec la paternité. C'est la base de lecture des dessins. Le pied de l'arbre indique le tout début de leur vie. On voit s'il y a une angoisse de vie, s'il y a des brisures. Il arrive que l'arbre soit complètement dévié, qu'il ne soit pas droit ; c'est un arbre défait. Les personnes qui l'ont dessiné ainsi ont très souvent des difficultés avec le père. La paternité peut être reçue par le père biologique, mais aussi par les grands-parents ou d'autres figures paternelles. On peut voir à travers la représentation de l'arbre les blessures importantes en lien avec cette figure paternelle.

La maison représente la structure que la personne a développée en lien avec la maternité. Il arrive parfois qu'il y ait une petite porte avec de petites fenêtres très hautes. Comment pourront-ils voir dehors ? On demande de placer l'arbre, la maison et le chemin sur la même feuille pour voir où la personne se situe par rapport à cet ensemble. Le chemin représente son histoire et son orientation. Pour certains, le chemin est loin de l'arbre, pour d'autres, il est par-dessus l'arbre, c'est très intéressant.

Le chemin peut être complètement isolé ou bien peut entrer dans la maison ou dans l'arbre, alors qu'un chemin normal passerait à côté avec des embranchements vers l'arbre et la maison. Normalement, quand on fait un chemin, ni la maison ni l'arbre ne sont au milieu. Il doit y avoir une route dégagée avec des entrées et des connexions.

Les deux premiers dessins (voir page suivante) représentent une désorganisation structurelle spécifique à une pédophilie sévère. La désorganisation s'exprime clairement, notamment une fusion maternelle persistante dans le dessin 2. En revanche, le dessin 3 correspond à une pédophilie conjoncturelle. Un sentiment d'abandon et de solitude dans l'enfance a pu désorienter le développement affectif. Non traité, il a donné lieu plus tard à une conduite dysfonctionnelle.

1.

2.

3.

Exemple 2 : dessiner deux personnes humaines

Lors d'un autre test, on leur demande de dessiner deux personnes humaines. Au début, et le thérapeute devra les laisser faire, ils vont généralement dessiner des bonhommes allumettes. On leur demande ensuite de reprendre leur dessin. On repère très vite les personnes complètement désorganisées : elles dessinent par exemple une très grosse tête sans cou, puis un corps tout défait. Un pédophile structurel représente davantage une très grosse tête ou un très long cou. Les éléments de la silhouette sont disproportionnés. C'est un signe de désorganisation. Les dessins 4 et 5 en sont une bonne réprésentation.

4.

5.

Le dessin 6 traduit davantage un malaise affectif de souche primaire, remontant à l'enfance.

6.

On peut, grâce à ces tests, repérer un pédophile structurel, parce que avant de lui demander de dessiner, on a instauré un dialogue avec lui, on l'a questionné sur des sujets sensibles. Il est donc sur la défensive, ce qui le pousse à établir sa dissociation qui sera reflétée dans le dessin.

Exemple 3 : dessiner un paysage

Je peux aussi demander à la personne de dessiner un paysage. Certains ne font que des lignes, ce qui exprime déjà beaucoup.

Tous les pics et les irrégularités montrent un conflit avec la mère ou bien avec le père. Ces dessins servent à confirmer ce que le thérapeute a observé au premier coup d'œil et lors du premier dialogue.

Avec les trois dessins, on est capable d'évaluer la structure de base de la personne, si elle a une structure déviante, si elle sera capable de se réhabiliter, si elle est dissociée, et même si elle a des traits psychotiques.

À partir des observations du patient, je rentre dans le jeu de la personne structurelle, je lui répète ses propos : ce sont de fausses accusations. Il confirme. C'est la première partie de la rencontre.

Puis vient la confrontation. Une fois qu'on dispose de tous les éléments du diagnostic, on confronte le pédophile à tout ce qu'on a trouvé et découvert sur sa personnalité. Dans le cas du prêtre cité plus haut, je lui ai dit : « Vous affirmez que les gestes dont vous êtes accusé ont tous été inventés. » Il a confirmé et a continué à nier le moindre geste déplacé.

J'ai alors insisté : « Vous avez sûrement fait une toute petite chose au moins qui aurait pu déclencher cette réaction contre vous. Vous avez sûrement fait une petite caresse pour que ça parte. Ça ne peut pas être inventé de toutes pièces. »

Il a admis qu'en effet il avait eu un geste de tendresse. Mais que c'était normal. Lors des abus, la jeune femme qui l'accusait maintenant avait quinze ans. Elle avait des difficultés, était souffrante. Il l'avait prise dans ses bras pour la consoler et la réconforter. La victime s'était collée à lui, lui avait demandé de l'embrasser en lui disant que ça lui faisait du bien. Elle lui avait même déclaré que si elle ne l'avait pas rencontré, elle se serait suicidée.

On arrive alors à un point caractéristique chez les pédophiles structurels : ils considèrent toujours avoir agi à la demande de leur victime. Ils estiment lui avoir fait du bien. L'un de leurs arguments est souvent que leur victime était dans un tel état de quête d'amour qu'ils se sont dévoués car ils y ont été contraints. Ils interprètent d'une façon très libre les pensées d'une jeune personne et insistent finalement pour dire qu'elle était demandeuse. La réalité leur échappe. On est en plein exemple de comportement dysfonctionnel.

Y a-t-il un profil de victime ?

Lorsqu'on est en face d'une victime d'actes pédophiliques, on essaie de comprendre ce qui a pu la mener à cette situation ; il arrive en effet que certaines personnes présentent des profils plus enclins à subir de telles agressions.

Exemple 1 :

Julia, une jeune religieuse, vient me voir parce que son directeur spirituel abuse d'elle. Cette jeune femme est incapable de se défendre, elle n'ose pas lui résister et souffre énormément de cette situation qui lui est devenue insupportable. En remontant jusqu'à son enfance, nous trouvons de nombreux dysfonctionnements qui se sont répétés tout au long de sa jeunesse.

Cette jeune femme n'a pour ainsi dire pas eu de père. Le sien était alcoolique et n'était jamais là. De ce fait, elle souffre d'un manque de repères évident. Chaque matin, sa maman l'obligeait à aller porter le petit déjeuner dans la chambre de son grand-père maternel, un homme âgé à qui tout le monde devait le respect. Chaque fois que l'enfant entrait dans la chambre, le grand-père refermait la porte et lui disait que, puisqu'elle lui avait apporté son petit déjeuner, il devait lui faire un petit cadeau. Il la caressait et lui imposait des attouchements. Il demandait aussi parfois à la petite fille de le masturber avec ses mains ou bien avec sa bouche. Quand l'enfant sortait de la chambre, elle ne pouvait rien dire. Son grand-père représentait la figure de l'autorité paternelle. Il avait la caution de la maman qui demandait chaque jour à sa fille d'aller lui porter le petit déjeuner. À un moment donné, quand l'enfant a refusé de servir le vieil homme, sa maman l'a punie en lui disant que c'était une petite capricieuse. Et elle l'a renvoyée se jeter à nouveau dans la gueule du loup. Quand cette enfant a grandi, elle est restée vulnérable. Devenue adolescente, quand un de ses professeurs lui a fait des avances, elle n'a pas été capable de se défendre, elle se trouvait exactement dans la même situation qu'avec son grand-père.

De la même façon, le professeur est une autorité, bien vue, avec du pouvoir. Elle ne pouvait pas s'opposer à lui sous peine d'essuyer de nombreuses remontrances et réprimandes de la part de sa famille, comme sa mère lui avait reproché de ne pas avoir été gentille avec son grand-père. Quand le professeur la gardait après la classe sous prétexte de l'aider dans son apprentissage académique, et l'emmenait ensuite chez lui, elle était obligée de téléphoner à sa maman pour lui dire qu'elle serait en retard parce qu'elle devait faire une étude supplémentaire. Elle était soumise au secret, de la même façon qu'avec son grand-père. En ne parlant pas, elle a continué à être la victime du professeur. À l'occasion, il lui accordait quelques faveurs et lui mettait de très bonnes notes sur son bulletin. Julia ne pouvait plus rien dire, parce qu'elle avait déjà introjecté en elle une dynamique de victime.

Quand cette femme est entrée dans la vie religieuse et qu'elle s'est trouvée sous les ordres d'un directeur spirituel, elle a reproduit le même schéma de victimisation. En détresse, elle a commencé à se confier à lui, et lui a raconté tout ce qu'elle avait souffert jusque-là.

Le directeur l'a prise dans ses bras, l'a caressée, l'a cajolée et embrassée jusqu'à l'abus sexuel. Julia était incapable de se défendre, elle était restée la petite fille de cinq ans qui apporte le repas à son grand-père et subit des attouchements sans pouvoir en parler.

Tant que cette dynamique de l'enfant victime ne sera pas traitée, chaque fois qu'elle se retrouvera dans une situation semblable, elle redeviendra l'enfant qui ne peut pas se défendre.

Une fois le traitement bien entamé, je l'invite à informer sa supérieure générale du comportement de cet ecclésiastique. Comme il accompagne beaucoup de religieuses novices, il faut absolument qu'elle le dénonce pour qu'il cesse de sévir en traumatisant d'autres jeunes femmes.

La supérieure ne comprend pas pourquoi une jeune femme comme Julia est sans cesse retournée vers son bourreau. Elle ne comprend pas comment elle a pu accepter tous ces viols sans jamais rien dire.

Il est parfois difficile de comprendre le comportement d'une victime si l'on ne connaît pas toute son histoire. Tant que cette jeune femme n'était pas traitée, elle était une proie idéale pour tous les prédateurs sexuels. La solution à la pédophilie vient aussi du traitement qu'on dispense aux victimes.

Exemple 2 : une petite fille traumatisée

Une petite fille de quatre ans est arrivée dans mon bureau vraiment perturbée. Sa maman me l'avait amenée parce que sa conduite était dysfonctionnelle. Elle embrassait sa poupée sur la bouche et léchait l'endroit qui correspond à sa vulve. Quand nous l'avons placée sur la table de massage, elle a embrassé passionnément un cadre sur lequel était représenté le visage d'un enfant. Elle s'est ensuite mise debout sur la table et a commencé à danser d'une façon très suggestive, comme une danseuse de charme. Je lui ai demandé où elle avait appris à danser et à embrasser de cette façon, elle m'a dit qu'elle faisait ça chez son papa. Ses parents étaient séparés.

Elle m'a expliqué qu'à la résidence de son père elle voyait des films pornographiques avec son père et son grand frère de douze ans et que ce dernier la touchait ensuite et abusait d'elle.

Comme tous les protagonistes étaient identifiés, on a dû faire un signalement aux autorités. L'enfant a eu l'interdiction de voir son père. Elle m'en a beaucoup voulu et m'a reproché de l'empêcher de voir son papa. Elle vivait très mal cette séparation. Elle affirmait que tout était faux. Son père ne lui faisait rien et ne la touchait pas. Elle n'avait plus le droit de voir son papa, alors que son frère (l'abuseur) continuait à vivre avec lui.

Je lui ai dit que l'important c'était qu'elle soit heureuse.

Elle m'a dit qu'elle ne l'était pas, qu'elle avait beaucoup de peine, que son père était triste parce qu'il ne la voyait plus. Elle rejetait également la faute sur sa mère qui l'avait séparée de son père. Elle vivait cette situation comme une grande injustice.

Après plusieurs expertises, un psychologue a estimé que l'enfant pouvait à nouveau voir son père. Il considérait qu'il n'était pas responsable de ce qui s'était passé entre son frère et elle. Son frère abuseur a dû être traité sans que le laxisme ou les incitations à la déviance de la part du père aient été sanctionnés d'une quelconque façon. Il a donc pu continuer à s'occuper de sa fille comme avant.

Devant le juge, j'ai vu un père qui était d'une habileté manipulatrice extraordinaire. Je me suis rendu compte que nous avions affaire à un vrai pédophile structurel.

Et malheureusement les professionnels, qui ne sont pas formés pour détecter ce genre de personnalité, n'ont rien vu.

Que d'injustices qui me coupent le souffle et m'indignent ! Je n'ai pas une profession relaxante, mais elle me permet de rejoindre le profond de la personne dans ses drames et ses désirs.

Troisième partie

ÉGLISE ET SEXUALITÉ, UNE (R)ÉVOLUTION NÉCESSAIRE

La médiatisation récente d'un grand nombre d'abus perpétrés au sein d'institutions religieuses n'a pas seulement mis sur la place publique des dérives inacceptables. Elle renvoie aussi à une question fondamentale, le rôle de la formation à une sexualité saine des ecclésiastiques. Au Vatican, le sujet est encore tabou. Or, les milliers de témoignages de religieux que j'ai recueillis dans vingt-six pays, ajoutés à mon expérience de thérapeute et de missionnaire, m'ont appris que leur préparation à cette vie « hors norme », ou du moins très particulière, ne peut être uniquement spirituelle. Elle doit également s'accompagner d'une éducation à la sexualité très approfondie. Qu'est-ce qu'une excitation génitale ? Un fantasme ? Une pulsion ? Comment bien gérer ces phénomènes physiques, quand on a fait le choix de prononcer des vœux et de s'engager dans le célibat religieux ? Entre 10 % et 20 % des prêtres et des religieuses que j'ai croisés en formation ou soignés affirment avoir respecté ou respectent leurs promesses de célibat sacerdotal et religieux... Ce qui veut dire qu'environ 80 % d'entre eux ont eu des écarts. C'est dire l'ampleur du phénomène et des besoins ! Ces pourcentages choquent et ne peuvent être divulgués... Ils correspondent pourtant à ce qui se vit chez les couples en ce qui concerne l'infidélité : nous vivons tous dans un même monde bouleversé et en quête de repères. Si courante qu'elle soit, cette situation engendre des interrogations : la personne appelée à vivre le célibat a-t-elle bénéficié d'une formation appropriée ? L'aveuglement a-t-il pris la place de la vérité ? Seule la vérité peut libérer des hommes et femmes enchaînés dans une option qu'ils ne parviennent pas à vivre.

À force de pratiquer la politique de l'autruche, de conserver des discours rétrogrades, certains chefs ecclésiastiques vacillent sur leur piédestal. Un grand nombre de leurs membres naviguent entre leur engagement et leur difficulté à orienter adéquatement leurs pulsions sexuelles. La répression omniprésente dans la prise de position officielle ne favorise en rien l'éclosion d'individus libres, matures et épanouis ; sans aucun doute, la répression d'une pulsion aussi forte que la pulsion sexuelle ne peut que provoquer des déviances hors du commun. Pourtant les années passent et la négation persiste. Assistons-nous aujourd'hui à une rupture inéluctable dans le domaine de la morale sexuelle entre un enseignement religieux rigoriste et les modes de vie contemporains ? L'humain a besoin de guides et non de jugements sévères.

La sexologie et ma pratique de clinicienne m'ont confortée dans l'idée que le rôle des dirigeants d'églises n'est pas de régenter les pratiques sexuelles des personnes, ce qui relève de leur stricte intimité. En revanche, leur fonction est bien de défendre une éthique qui doit conduire au développement harmonieux des individus et à leur bien-être. Cette éthique-là, ils se doivent de la reconstruire en tenant compte de la complexité d'une société qui a connu à la fin du XXe siècle d'importants bouleversements dans les domaines de la recherche médicale, de l'écologie et de la technologie.

À ce titre, l'Église ne peut plus se contenter de dire, pour disculper ses déviants : « Les abus existent aussi dans le monde laïc, nous sommes tous de pauvres pécheurs. » N'en avons-nous pas assez de ce double discours qui ruine sa crédibilité ? Nous oublions trop souvent le rôle du monde religieux : messager de l'amour authentique. Une boussole brisée peut-elle orienter ? D'où vient cette tolérance devant la misère et l'écartèlement d'un grand nombre de personnes engagées dans le célibat religieux ? La peur de la vérité aurait-elle pris le dessus ? D'un côté, l'avortement de femmes, religieuses et laïques, mises enceintes par des ecclésiastiques est très caché ; on demande pardon pour les délits commis par des prêtres pédophiles... Et de l'autre, on décourage les victimes pour qu'elles ne portent pas plainte devant les tribunaux. Sans compter tous ces discours condamnant les principales formes de contraception. L'intimité de couple est réservée aux gens mariés. Ne serait-ce pas à eux d'évaluer en profondeur ces propositions ? « Faites ce que je dis ! » Que faire avec ce qui se fait ? Il faut comprendre pourquoi les messages et les ordres, au sujet de la sexualité, de la part des dirigeants de l'Église ne passent plus. Il serait avantageux de faire le ménage dans sa propre maison avant de s'ingérer dans celle du voisin. Tant d'incohérence n'est plus admissible de la part d'une institution porteuse du message de Jésus, un message d'amour, de respect, de liberté, de vérité. Cela nécessite une véritable (r)évolution.

Contrairement à ce que certains déviants pensent, ni la prière, ni les célébrations, ni l'eau bénite ou les formules de consécration ne « purifient » la perversion. Je m'étonne encore que des autorités religieuses, généralement des personnes intelligentes et instruites, aient pu cacher ou minimiser tant de conduites dysfonctionnelles. Les sexologues le savent bien, le silence est l'arme privilégiée du crime sexuel. Mais que l'on ne vienne pas nous dire pour autant que le mariage des prêtres mettrait un terme aux abus. Loin de là ! Prétendre que la pédophilie serait liée à un problème structurel de l'Église est une aberration et une bien étrange façon de « déculpabiliser » le prédateur. C'est une évidence, un prêtre pédophile fera un mauvais mari et un piètre père de famille. Pour une raison simple : il est un malade dangereux que l'on doit soigner ! N'allons pas non plus imputer la culpabilité des crimes de délinquants en soutane au célibat. Le plus insupportable est de voir que l'autorité ecclésiale, au lieu de porter secours aux victimes de ces prêtres et à ces derniers, se contente de présenter de simples excuses. Pourtant les uns et les autres se confient à moi, m'avouant qu'ils ne se sentent pas écoutés par les autorités religieuses, toujours pressées de leur demander de tourner la page et d'oublier le passé...

Mais le passé ne s'oublie pas. Moi-même, très tôt, j'ai été confrontée à l'hypocrisie de certaines personnes. Elle a certainement façonné ma personnalité d'éternelle rebelle... Comme mes parents agriculteurs étaient trop pauvres – nous étions neuf enfants – pour me payer le pensionnat, j'ai effectué une partie de mes études secondaires au couvent d'une municipalité éloignée de mon village, où mon oncle Paul-Henri était le curé de la paroisse. Autant dire un notable. Il m'hébergeait dans une chambrette du presbytère, une vaste demeure régentée par la servante. Cette personne, plutôt revêche, était tombée follement amoureuse de lui et se montrait à l'égard de « son » curé d'une jalousie maladive. Entre mon parrain et moi, ce n'était pas vraiment l'harmonie. Il me réprimandait sans arrêt. Comme beaucoup de jeunes de mon âge, j'aimais danser et faire du sport, deux passions qui, selon lui, étaient inconvenantes pour une jeune fille chrétienne ! Mais ce que j'observais dans la maisonnée, du haut de mes treize ans, était autrement plus licencieux. Quand il ne délivrait pas à ses fidèles des prêches rigoristes, il recevait chez lui des confrères et leurs « amies », toutes de bonnes bourgeoises à l'excellente réputation. Ces jours-là, j'étais interdite au salon. Curieuse de nature, j'épiais par la porte entrouverte leur divertissement. Je les voyais boire de l'alcool en compagnie de ces dames, parfois assises sur leurs genoux. Il y avait des embrassades et des caresses compromettantes. Même fiesta lorsque des prêtres étaient venus au presbytère à l'occasion d'une retraite intensive. Au menu : whisky et femmes peu farouches. Ils parlaient fort et riaient. Je ne réussissais pas à voir le fauteuil où était mon oncle. J'aurais voulu crier : « Paul-Henri où es-tu ? » J'avais treize ans, j'avais la gorge serrée, j'avais appris les bonnes manières. Je savais que mon oncle aimait l'alcool, ça me dérangeait beaucoup étant donné que ma mère était Lacordaire (mouvement contre la consommation d'alcool). Pourquoi ces saints hommes ont-ils besoin de boire ? J'ai souvent observé de la détresse chez les ecclésiastiques. Tant d'aveuglement ! La vue de ces ministres du culte, dont le comportement était incompatible avec leurs beaux sermons, me décevait énormément. J'aurais voulu en parler à mes parents ou à d'autres adultes. Mais, par peur d'être prise pour une folle ou une mythomane, j'ai préféré me taire. J'étais encore une enfant...

Plus tard, une fois novice, j'ai pu observer d'autres réalités. Le couvent où je résidais se situait juste à côté d'un séminaire, où habitaient de jeunes prêtres. Nous nous retrouvions à l'occasion de rencontres thématiques et des grandes fêtes liturgiques. J'avoue que quelques-uns avaient beaucoup de charme. Des consœurs leur tournaient autour, jouant les coquettes. Certains se prenaient par la main et quoi de plus ? J'avais du mal à comprendre ce genre de comportement. Dire que la consigne se limitait à : « Faites attention, ne les regardez pas trop » ! Comment s'étonner que plusieurs aient eu l'honnêteté de quitter les ordres pour fonder une famille... Vatican II était passé par là : les religieuses s'habillaient en « civil » et portaient des jupes plus courtes... Il m'est arrivé, à moi aussi, d'éprouver de l'attirance physique pour l'un de ces charmants séminaristes. J'ai fait le choix de renoncer : ce n'était tout simplement pas ma voie.

Je me souviens qu'un Noël – je préparais mes examens semestriels d'infirmière –, on m'avait demandé de jouer de l'accordéon pour animer une petite fête. J'avais accepté avec enthousiasme, mais quand je suis entrée dans la salle située au sous-sol du bâtiment, je me suis retrouvée plongée dans une ambiance « Woodstock » : lumières tamisées, couples enlacés sur des coussins posés à même le sol, filles en mini à mi-cuisses...

– Mais qui sont ces gens ? Des étudiants ? ai-je demandé.

– Mais non, Marie-Paul, ce sont tous des religieuses et des prêtres !

J'en suis restée bouche bée... Après un court moment de flottement bien compréhensible, j'ai attaqué mon répertoire habituel, des « rigodons » – des danses folkloriques – bien de chez nous pour les faire bouger et se relever.

– Hé, ce n'est pas ça qu'on veut. Joue-nous des slows pour qu'on puisse danser collés-serrés !, m'ont-ils réclamé en rigolant.

J'ai rangé mon instrument et je suis partie, très désabusée. Une participante m'a rattrapée :

– Tu sais, tu es trop peu ouverte à la modernité !

Cette sœur était adepte de cette « troisième voie » prônée par un courant progressiste qui défendait, dans les années soixante-dix, l'idée que toute personne avait besoin de baisers, de tendresse et que les religieux, pour leur épanouissement, en avaient également besoin. J'ai donc quitté cette soirée et j'ai marché longtemps dans la neige pour essayer de comprendre leur attitude et surtout afin de me ressaisir. Je me disais : « Tout ce que j'ai vu là n'a aucune raison d'être, ce n'est pas cela la vie religieuse ! » Pour moi, notre mission était de se donner au monde, à l'amour universel, pas de flirter et de coucher !

La même année, j'ai participé à une retraite de trente jours. Debout dès 6 heures du matin, j'allais marcher en regardant l'horizon. Je trouvais très étrange ce que j'avais vu les soirs précédents : en rencontre individuelle, des sœurs sortaient du bureau du prédicateur en vêtements de nuit.

– Mon père, pourquoi viennent-elles vous voir en petite tenue ?

Très décontracté, il m'a répondu :

– Oh, elles préfèrent cela, elles sont plus à l'aise. L'important est qu'elles soient bien dans leur tête !

Comment pouvaient-elles se présenter dans ces tenues familières ? Et lui, les accueillir ainsi ! Je trouvais que toutes ces nonnes étaient beaucoup trop dépendantes de ce prédicateur qui avait la réputation d'être fort sympathique. Se rendait-il compte du jeu de séduction qu'opéraient ces femmes ? J'avais des questions plein la tête. Ces guides spirituels désignés sont-ils formés pour accompagner des femmes ?

À Lima, lorsque je demandais aux novices de notre couvent : « Alors, comment va votre chasteté, votre célibat ? », elles baissaient les yeux, l'air embarrassé. Ces jeunes filles étaient toutes issues des *barrios* où, dès l'adolescence, les gamines ont une sexualité très cavalière avec les garçons. Au cours de la formation au célibat que je leur donnais, je précisais toujours : « Quand on est novice, pas d'amourettes, on ne couche ni avec un gars, ni avec une fille, et on ne se masturbe pas non plus. L'autoérotisme tend à vous stimuler, avec des fantasmes qui vous renvoient à une vie de couple, une voie qui n'est pas la vôtre, si vous faites le libre choix de vous engager dans le célibat religieux. » Il est évident qu'un cerveau qui se forme au célibat ne doit pas être stimulé dans le sens d'une vie de couple. Mes questions inquisitrices les mettaient, au début, mal à l'aise. À force d'insister, elles ont fini par passer aux aveux. Celle qui prétendait travailler tous les après-midi à l'hôpital avait des relations sexuelles sur place avec un infirmier ; une autre, qui s'occupait d'une dame âgée, s'était amourachée de son voisin ; une troisième faisait l'amour avec la sœur qui partageait sa chambre… Après leur avoir demandé d'avoir un entretien avec leur directeur spirituel sur le bien-fondé de leur vocation, ces filles ont toutes quitté le noviciat pour retourner à la vie laïque, ce qui, tout bien considéré, était le mieux pour elles. Avec la sœur Gabrielle, je les ai raccompagnées dans leurs familles pour dédramatiser la situation et m'assurer que ce retour allait bien se passer. En disant au revoir à la troisième, je l'ai réconfortée :

– Si tu es homosexuelle et que tu veux vivre en couple avec ta copine, si elle est aussi homosexuelle, pas de problème. Respecte ta partenaire et tout ira bien.

Quels que soient le lieu ou le pays où je suis invitée, avant chacune de mes interventions, je dépose sur la table une boîte dans laquelle les participants – prêtres, religieuses, novices, séminaristes –, glissent de manière anonyme leurs questions. Et, invariablement, les problèmes soulevés sont les mêmes : « J'ai eu une relation et je suis enceinte, je ne sais pas quoi faire » ; « Je suis amoureuse d'un séminariste » ; « Je me masturbe de manière compulsive » ; « Je me sens attiré par les jeunes adolescents » ; « Comment avoir des relations sexuelles et quelles sont les meilleures positions »… Après avoir lu et résumé le contenu de leurs billets, je commence par leur expliquer ce qu'est la maturité affective, c'est-à-dire le sens même de la chasteté et du célibat religieux. Cette notion se comprend généralement comme étant l'absence de relations sexuelles (continence), une vision beaucoup trop réductrice. Exemple : des gens mariés qui ont une vie sexuelle peuvent être chastes s'ils restent fidèles l'un à l'autre, et s'ils se respectent mutuellement dans un rapport d'égalité et de liberté. Dans un couple, le partenaire n'est pas le récepteur du manque affectif de l'autre, il ne lui impose rien sexuellement, il ne le manipule pas. La chasteté est une façon de vivre sa sexualité de façon autonome sans dépendre de l'autre. Mais que signifie-t-elle quand on est religieux ? Tout simplement la fidélité à son moi profond, à l'engagement pris en son âme et conscience. La chasteté « accompagne » le célibat religieux au sein duquel la pulsion sexuelle, qui est faite d'amour et de vie, ne s'exprime pas au niveau de l'excitation génitale ni émotionnelle, mais dans une relation amicale ou fraternelle. Ce détachement total, je l'appelle aussi le « calme érotique », qui rappelle celui du yogi. Il est source de détente, de bien-être complet. C'est ainsi que l'individu, j'en suis intimement convaincue, avance dans la vie parce qu'il touche le profond de son être, sa propre vérité, celle qui anime la mission d'actualiser l'œuvre divine – ou l'harmonie du monde si l'on est athée. Cet état permet au missionnaire le don de soi ainsi qu'une disponibilité aux autres de 100 %. Je dis toujours qu'il faut avoir une règle de vie ordonnée et harmonieuse quand on voue sa vie à une mission ! L'état d'adulte responsable est requis. Faute d'avoir acquis cette autonomie affective, l'individu s'enlise à rechercher le plaisir, le désir, la passion amoureuse. Les religieux qui sont dans ce cas sont en pleine contradiction : ils prient les mains jointes, prêchent la parole officielle de l'Église, tout en ayant en cachette des relations intimes avec une personne du même sexe ou du sexe opposé. Cette duplicité est responsable de névroses de toutes sortes – états dépressifs, pulsions suicidaires (assez fréquentes parmi les membres des institutions religieuses), déviances, etc. Le célibat religieux perd son sens et cette cacophonie agace le laïc qui s'éloigne de plus en plus de cette mascarade dissonante. L'appartenance officielle à ce monde – dit religieux – est exigeante et suscite facilement l'exclusion. Très compréhensible ! Le monde en a ras le bol d'une domination si peu chrétienne. Fidèle à mon ADN intérieur, je poursuis ma voie. L'appel à cette mission et à être religieuse colle à ma peau.

Lors d'un séjour à Rome, une sœur qui s'était inscrite à un de mes groupes de formation se montrait particulièrement instable. Je la sentais inquiète et déprimée. Une personnalité très touchante, en mal de repères. Elle m'a raconté en privé qu'elle revenait d'une retraite en Espagne, qu'elle y avait énormément souffert, mais qu'elle ne se souvenait plus de grand-chose. Au fil de sa formation au célibat, qui a duré trois longs mois, la mémoire lui est revenue progressivement, par séquences. Elle m'a confié avoir été pendant quelques semaines cloîtrée dans un couvent de Séville. Au début de la retraite, elle avait été conduite d'urgence à l'hôpital en raison de douleurs abdominales très fortes. Là-bas, le médecin avait diagnostiqué une grossesse très avancée... Elle n'y comprenait rien, parce qu'elle ne se souvenait pas avoir eu de rapports sexuels avec un homme. Un cas inhabituel d'amnésie défensive ? Plus fréquent qu'on ne le pense ! Réalisant la complexité et l'urgence de la situation, le gynécologue avait provoqué l'accouchement. Quant à la mère, elle avait décidé d'abandonner le nourrisson sur place, avant de repartir terminer sa retraite ! J'étais sidérée qu'elle soit incapable de prononcer le mot « maternité » ou le nom du père de l'enfant. Au bout de la douzième semaine d'une thérapie intensive, elle a enfin reconnu que le prêtre dont elle était tombée amoureuse lors d'une session d'accompagnement spirituel, et qui l'avait, la veille de son départ, couchée par terre avant de la pénétrer, était le père de son petit. Il aura donc fallu que cette femme intelligente – qui avait un poste d'autorité – entame un travail thérapeutique pour parvenir à puiser en elle la capacité de se retrouver à nouveau dans sa propre réalité. Outre l'écoute, mon rôle a été de lui fournir les moyens nécessaires pour prendre conscience qu'elle était une personne libre, capable de dire « non » aux avances d'un prêtre. Par la suite, nous avons appris que son bébé avait été rapidement adopté. La mère n'a jamais, pour autant, éprouvé le désir de lui laisser dans un quelconque dossier la moindre trace de son existence...

Une autre religieuse avec mission d'autorité avait consulté un révérendissime cardinal qui lui avait fait des avances. Elle n'avait pu résister devant un tel honneur... Comme le malaise l'envahissait, elle m'a consultée par la suite. Elle ressentait en même temps de la joie d'avoir été choisie – le plaisir était intense.

Je suis toujours abasourdie de voir à quel point les religieuses ne savent pas refuser à un laïc, un prêtre, un évêque, un cardinal les faveurs sexuelles qu'ils sollicitent. Comment arrive-t-on à ce genre d'asservissement ? Les rapports – trop intimes à mon sens – qu'entretiennent les sœurs avec leurs conseillers et accompagnateurs spirituels sont à l'origine de bon nombre de dérives. Il faut savoir que, dès le noviciat, elles sont « formatées » pour se confier sans tabou aux prêtres. Par expérience, je sais qu'elles racontent facilement et en détail à leurs directeurs spirituels – qui peuvent malheureusement compter dans leurs rangs des prédateurs – les moindres événements de leur vie intime. Elles évoquent leurs menstruations, la masturbation, leurs rêves érotiques, leur enfance, leurs premiers émois amoureux, leurs difficultés à vivre le célibat... Il y a même des accompagnateurs qui insistent pour qu'elles se masturbent devant eux et qui leur enseignent à jouir ! Pour les convaincre de passer à l'acte, ils les embobinent en suivant un argumentaire bien rodé : « Tu ne peux pas donner ta vie à Dieu si tu ignores ce qu'est l'orgasme. » Et ça marche. Car dès leurs premiers pas dans la vie religieuse, on leur inculque que les paroles du prêtre sont paroles d'Évangile, et qu'elles ne peuvent en aucun cas être contestées. Ces personnes grandissent tout naturellement, sans se poser de questions, dans le culte du curé et des dignitaires du clergé. Le pouvoir que les hommes d'Église ont sur ces femmes naïves est considérable, dans la mesure où elles peinent à être adultes : elles évoluent dans un système clos, qui les infantilise totalement. J'ai très souvent remarqué que, lorsqu'une sœur sans défense se retrouve dans une situation « d'intimité » avec un homme, elle s'amourache facilement de celui qui recueille ses confidences. Quant au directeur de conscience, il a le beau rôle, celui du père, de l'ami, du frère et, dans certains cas, de l'amant ! Comme il n'a pas la formation professionnelle du psy pour entendre des aveux aussi personnels, la confession le transforme en voyeur, ce qui a pour conséquence de l'exciter sexuellement. Dès lors se dessine aisément un scénario à la portée de tout déviant : il fantasme sur la religieuse qui vient le voir, il s'autostimule en se remémorant les conversations qu'ils ont partagées et, lorsqu'il se retrouve seul dans sa chambre, il fait comme M. Tout-le-monde, il allume son ordinateur et navigue sur les sites pornos. Au bout d'un certain temps, son addiction est réelle et la sœur devient sa victime au nom du sacro-saint accompagnement spirituel. Le pire, c'est qu'il reste persuadé qu'en profitant de son ascendant sur elle, il lui fait du bien ! Et quand la victime ose émettre un timide doute sur le bien-fondé de leurs ébats, il réagit généralement de manière paternaliste : « Tu doutes ? Rassure-toi, c'est tout à fait normal. Fais-moi confiance, c'est le démon qui vient te tenter ! » Ces propos-là sont particulièrement retors. Quand il dit à sa proie : « Je veux ton bien, je veux t'aider », celle-ci culpabilise. Un comble ! Ces tristes réalités existent aussi dans le cadre homosexuel. Que de confidences de séminaristes initiés à ces exploits dysfonctionnels !

Dans une institution religieuse, personne n'est à l'abri : il s'en est fallu de peu pour que je tombe, pour ma part, dans le piège d'un exégète pervers...

En 1976, mon chemin a croisé celui du père Yvan, une superstar du monde ecclésiastique, reconnu pour ses ouvrages sur la spiritualité. Ce Français dirigeait, durant une semaine, des ateliers de réflexion auxquels je participais. Un après-midi, il m'a invitée à m'entretenir avec lui dans son bureau et m'a fait part de ses impressions : selon lui, je gardais trop de distance vis-à-vis des autres, j'étais trop sauvage, j'aurais dû améliorer cet aspect-là de ma personnalité. Il m'a assuré que c'était important pour moi d'accepter d'être embrassée, d'être aimée (*sic*) au nom de Dieu. Il s'est alors approché de moi, m'a serrée dans ses bras, il a réussi à m'embrasser près des lèvres et à poser une main aguicheuse sur mes seins. Par réflexe, j'ai retiré brutalement sa main de ma poitrine et j'ai fait un grand pas en arrière. Son geste m'avait complètement désorientée. J'avais du mal à admettre qu'un spiritualiste aussi renommé, dont la prestance m'impressionnait, puisse se comporter comme le premier vicelard venu. Il était l'idole d'un grand nombre de religieuses. Renseignements pris autour de moi, il avait sorti son numéro de charme à d'autres, et même osé aller plus loin. Au bout de quelques jours, je suis retournée le voir pour en avoir le cœur net.

– Avez-vous pour habitude de caresser les seins des religieuses ?

Il n'a manifesté aucune gêne à me répondre. Au contraire :

– Mais bien sûr. Je prends beaucoup de plaisir à les caresser, pour qu'elles apprennent à aimer leur corps !

Au nom de Dieu et de l'épanouissement humain, c'est la conscience tranquille que ce brillant jésuite franchissait la ligne blanche !

Chaque fois que j'ai raconté ma mésaventure avec cet « homme de Dieu » ou que j'ai évoqué d'autres irrégularités devant ma hiérarchie, j'ai eu droit à la même rengaine : « Marie-Paul, tu vois toujours le mal partout, tu exagères. La situation n'est pas aussi alarmante que tu le dis ! » Ce qui a toujours le don de m'indigner ! « Détrompez-vous mes sœurs. Je n'affirme que ce qui correspond à la réalité. » Malgré de telles évidences, il est difficile de regarder l'Église dans les yeux et plus aisé de demeurer dans le déni d'une vérité pénible à voir... Et pourtant, je ne fais que dévoiler ce que le monde sait. Le silence est l'apanage privilégié et indissociable du crime sexuel !

Devant ces réalités, j'essaie de comprendre. La formation à la vie consacrée est un folklore ou quoi ? Je me sens souvent indignée, mais comme il est facile de se laisser embobiner par de belles paroles venant d'un personnage à la réputation de grande noblesse !

Le seul conseil donné aux futurs prêtres et sœurs : « Faites attention », ne permet pas de vivre le célibat religieux. C'est plus complexe que ça.

Quand un responsable utilise son pouvoir et son statut pour abuser d'une personne assoiffée d'amour, il démontre lui-même sa faiblesse et sa désorganisation.

À en croire ce qu'on écrit dans certains magazines, les boîtes échangistes et les « Eros Centers » n'ont jamais rencontré autant de succès des deux côtés de l'Atlantique. On pourrait penser que le monde des institutions religieuses échappe aux pratiques d'une société d'hyperconsommation sexuelle en perte de valeurs. À tort.

Lorsque j'ai ouvert mon institut à Québec, en 2003, mes toutes premières patientes étaient des religieuses, dont une, au bout du rouleau, m'a confié en larmes : « Je veux mourir, ma vie est foutue ! » Au cours de nos rendez-vous, elle a commencé à me raconter que des courants sectaires au sein même d'institutions religieuses organisaient, dans les sous-sols de lieux bénis, des cultes très particuliers, au cours desquels une ou plusieurs religieuses étaient placées nues sur un autel, avant d'être livrées toute une soirée au bon plaisir de l'assistance masculine. Elle-même avait ainsi été violée à plusieurs reprises... Un thérapeute se doit d'être solide, bien dans ses bottes. J'admets que ses confidences m'ont déstabilisée pendant des mois. Cette mise en scène sordide était-elle réelle ou fantasmée par une sœur fragile ? Au fil de nos rendez-vous, le MIGS m'aidait à « dessiner » son ressenti, à authentifier les émotions qu'elle exprimait. En parallèle, je prenais conseil auprès de confrères psychiatres, qui ont jugé les rituels sacrificiels qu'elle me décrivait totalement plausibles de la part d'individus pervers. Que ce genre de catastrophe eût lieu une seule fois dans un seul endroit aurait déjà été trop. Je n'ai plus eu le moindre doute sur ces pratiques dès lors que le même scénario d'orgies m'est parvenu aux oreilles en Espagne, en Argentine, au Pérou et en Italie... Des pays où des courants dits « charismatiques » ont réussi à faire leur nid. Je l'ai entendu de la bouche même des victimes, qui bien sûr ne se connaissaient absolument pas les unes les autres. Elles m'ont toutes décrit avec précision des cérémonies hyperritualisées identiques, où l'émotion est poussée à son paroxysme.

Les hommes présents – des prêtres, des médecins et des notables –, ont un profil similaire, physiquement séduisants et intellectuellement brillants. Ils abordent leurs proies – des religieuses, des femmes laïques –, assidues à l'église, de la manière suivante : « Dieu vous a spécialement désignée pour accomplir une mission de la plus haute importance. » Les personnes « choisies » se rendent alors dans une cave pour boire un liquide rouge, le soi-disant « sang du Christ ». Cette mascarade déclenche un effet immédiat sur les victimes, qui se transforment en esclaves automates. On leur explique que leur participation va sauver le monde, que le Seigneur les a invitées ce jour-là parce qu'elles sont différentes des autres, etc. Le talent et le bourrage de crâne des abuseurs ne connaissent pas de limite ! Une fois installées sur l'autel improvisé, elles sont accouplées à tous les mâles de l'assemblée. La communion est le point d'orgue de cette théâtralisation. Chaque participant embrasse d'abord le pénis du prêtre officiant, avant de retirer, avec la langue, l'ostie de la vulve du corps livré en pâture. Seul le marquis de Sade aurait pu imaginer des scènes aussi sophistiquées ! C'est à se mettre au défi de trouver parmi les films pornos actuels, même les plus vulgaires, des productions qui démontrent autant de créativité...

La principale difficulté pour moi a été de poursuivre le travail thérapeutique avec ces sœurs qui, lorsqu'elles étaient réinvitées à ces orgies par leurs violeurs, ne trouvaient pas la force de dire : « Non ! C'est assez ! » Elles y couraient, à mon grand désespoir, comme si la ritualisation extrême de ces soirées les avait programmées pour y retourner. Comme si leur libre arbitre ne pouvait emporter la décision finale. Sur les conseils d'une amie religieuse, je me suis rendue à Montréal pour y consulter un évêque et l'informer de mes sulfureuses découvertes. J'étais très tendue. La peur d'être prise une nouvelle fois pour une folle menaçait de me submerger. Une fois mis au courant, le prélat, très embarrassé, m'a confirmé les faits : « Dans ce cas, Marie-Paul, il faut croire les victimes et les aider. Tout cela est malheureusement vrai ! » Malgré la bonne volonté de l'évêque, le dossier a été classé sans suite… Devant ces délires, le silence s'impose pour ne pas compromettre ta vie et ta mission. Quelle mafia !

Le pape Jean-Paul II m'avait prévenue : l'institution de l'Église me donnerait du fil à retordre ! À la suite de mes révélations– il fallait mettre fin à ces perversions – des autorités religieuses se sont réunies au sein d'un comité d'évaluation pour décider d'établir un rapport sur mes activités, lequel a été diffusé largement auprès de toutes les congrégations du pays. Dans ce rapport, on pouvait lire que j'utilisais la thérapie pour mettre dans la tête des sœurs des pensées perverses, que j'étais une dangereuse mythomane et bien d'autres amabilités. Mes patientes étaient terrorisées à l'idée de porter plainte et, sans ces témoins clés, je n'ai pas pu me défendre en justice. À défaut de procès pour diffamation, j'ai dû me contenter d'offrir, sans succès, une lettre à tous les ordres religieux du pays en démontant complètement ces accusations.

Aujourd'hui, des prêtres, des évêques et des sœurs me soutiennent dans mon combat. Des braves collaborent à cette œuvre humanitaire. D'autres poursuivent leur formation ou leur thérapie à l'institut. L'anonymat demeure encore le sceau de la protection.

À toutes les victimes de prêtres délinquants sexuels, je tiens à adresser un seul message : dénoncez-les, trouvez la force et l'énergie de vous lancer dans des procès, en dépit de procédures judiciaires fort éprouvantes. Vous le valez bien. Même si c'est le prix à payer pour votre résilience. Et votre dignité. Mettre fin à un silence meurtrier pour que la vérité triomphe, voilà la seule victoire – c'est la seule qui libère.

À la lumière de plus de quarante ans passés au service de l'Église, je pense qu'il est urgent de rénover la vie religieuse ! Que dire de ces grands couvents ressemblant à des bulles-cocons, coupées de la société ? Il y a une nécessité absolue de s'adapter aux besoins d'une Église vivante, dynamique, ouverte sur la modernité. Ces édifices peuvent toujours servir pour les membres plus âgés ayant besoin de soin et de sécurité. Au Québec, ils sont de plus en plus souvent vendus aux promoteurs pour en faire des logements, des écoles ou des bureaux. D'autres offrent un hébergement à différentes communautés et prennent l'allure d'un habitat résidentiel. Beaucoup de religieux et de religieuses vivent déjà en colocation en ville, et s'adaptent fort bien à leur quotidien au cœur de la cité.

Suis-je pour ou contre le mariage des prêtres ? Pour aborder cette question, je me dois d'établir une distinction entre le prêtre diocésain – le curé qui habite dans son presbytère – et le religieux qui appartient à une congrégation ou un ordre religieux. De nombreuses voix s'élèvent, qui aspirent au changement. Je pense qu'il est grand temps que, d'un côté, les prêtres diocésains – à la tête d'une paroisse en charge d'un groupement de chrétiens – puissent avoir le libre choix de se marier et de fonder un foyer, s'appuyant sur l'exemple des pasteurs, des rabbins, des popes ou des imams qui effectuent un travail de terrain formidable ; de l'autre, subsisterait un nombre très restreint de missionnaires qui auraient choisi de faire le vœu de célibat et de chasteté pour se dédier entièrement aux autres, sans avoir la charge d'un couple ou d'une famille.

Je souhaiterais aussi que cessent, au sein des institutions religieuses, les discriminations à l'encontre des homosexuels, contraints de vivre leur sexualité dans la clandestinité – comme si leur situation était un péché. En tant que sexologue, je dénonce les discours de certains dignitaires qui osent encore assimiler pédophilie (une maladie) et homosexualité (une orientation sexuelle) : c'est tout à fait archaïque. Quant à mon opinion sur les moyens de contraception – méthode Ogino, pilule, stérilet, pilule du lendemain – je me plais à laisser les couples choisir ce qui leur convient le mieux en leur offrant un éclairage substantiel sur la sexualité épanouie.

L'Église à laquelle j'aspire devrait revoir ses positions culpabilisantes concernant le plaisir sexuel, en tenant compte de la liberté qu'ont les individus de prendre des responsabilités et de faire des choix en fonction de ce qu'ils assument de vivre. Une sacrée révolution !

Dans les vingt-six pays parcourus, j'ai vu un panorama qui se reproduisait d'un endroit à l'autre. La personne singulière prise dans une tourmente se désorganise et perd facilement la direction de sa vie. Elle devient ainsi candidate pour le pire. Sans une aide adéquate elle s'enlise, croyant que c'est la façon de vivre sur terre.

Je continue d'accompagner des personnes, de toute confession, victimes de déviances et de perversions sexuelles. Ce désordre n'est pas inhérent à une origine particulière ou à des institutions religieuses particulières. Il peut atteindre le plus petit comme le plus grand. Il semble être dirigé par un cerveau robot guidé par une performante école de déshumanisation. La perversion n'a pas de religion ni de statut social. Elle est virale et se transmet secrètement.

Ce livre peut choquer mais il n'a pas été écrit dans ce but. Il a été mis en œuvre pour démontrer l'inacceptable et permettre à ceux et celles qui jouissent d'une vie saine de célébrer leur succès. Un collègue prêtre m'a dit : « Être religieux-prêtre est une excellente occasion de faire beaucoup de bien au monde et d'apporter ce dont l'humain a le plus besoin. » Il a ajouté : « C'est aussi un statut privilégié pour détruire. » Reconnaissons donc que l'engagement religieux prend son sens et s'accomplit dans une maturité et un équilibre affectifs et sexuels.

Avec paix et sérénité je partage ce que je porte de détresse et de joie au plus profond de moi depuis mon enfance. Le silence ne fait que perpétuer ces actes qui tuent l'humain. En toute conscience, je ne pouvais me plier à ce silence qui dérobe une possibilité de guérison à l'humanité. La parole est donc essentielle pour nous libérer du mal profondément englouti dans le non-dit – chut !

Je demeure dans l'espérance que le mur de l'aveuglement et du mutisme puisse tomber pour enfin célébrer dans la lumière la puissante aspiration au bonheur que tout humain porte en lui. La vie a son charme et sa beauté quand elle se vit dans la fidélité au cœur de l'humain.

Remerciements

Comment remercier Claire Baldewyns et Sébastien Le Délézir pour leur collaboration et leur goût de la vérité ?

Merci au personnel de l'IIDI qui m'accompagne dans ce projet d'offrir à la personne le choix d'être singulière et en bonne santé physique, affective et spirituelle.

Merci à mes supérieures qui permettent le droit de parole.

Merci à l'éditeur Michel Lafon pour son souci de l'avancement et son audace.

Merci au lecteur qui donne aux mots une couleur unique.

Table des matières

Composition PCA
44400 – Rezé

Impression réalisée par

pour le compte des Éditions Michel Lafon

Imprimé au Canada

Dépôt légal : juin 2011
ISBN : 978-2-7499-1491-6
LAF 1398